人文阅读与收藏·良友文学丛书

舒乙题

原丛书主编：赵家璧

特 邀 顾 问：舒　乙　赵修慧　赵修义　赵修礼　于润琦

出 品 人：马连弟
监　　制：李晓琤
执　　行：张娟平
统　　筹：吴　晞　姚　兰
装帧设计：赵泽阳

特别鸣谢（按姓氏笔画排列）：
韦　韬　叶永和　李小林　沈龙朱　陈小滢　杨子耘
张　章　周　雯　周吉仲　舒　乙　蒋祖林　施　莲
姚　昕　俞昌实　钟　蕻　郑延顺　赵修慧
以及在版权联系过程中尚未联系到的作者或家属

特别鸣谢：
上海鲁迅纪念馆
北京鲁迅博物馆
北京大学中国语言文学系
复旦大学中国语言文学系
中国作家协会权益保障委员会

人文阅读与收藏·良友文学丛书

话匣子

茅 盾著

中国国际广播出版社

良友版《话匣子》精装本封面

良友版《话匣子》平装本封面

良友版《话匣子》编号页

良友版《话匣子》扉页

良友版《话匣子》版权页和目录页

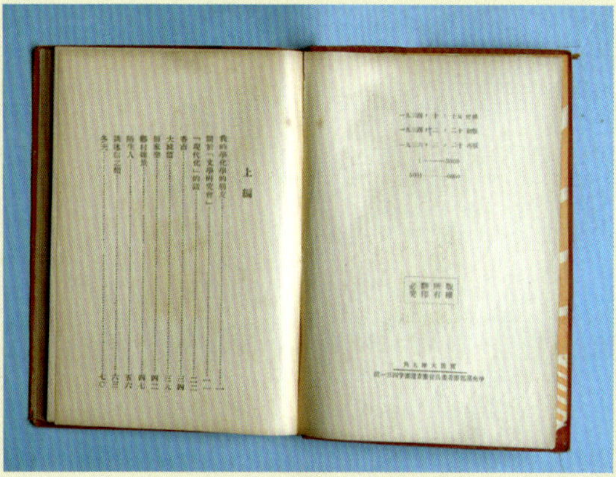

良友版《话匣子》内文

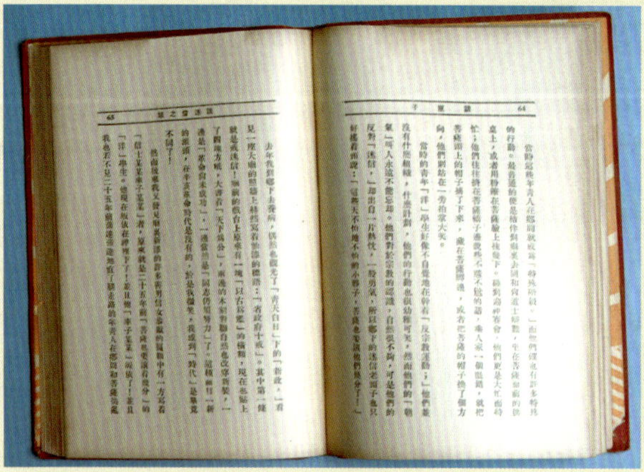

《良友文学丛书》新版出版说明

二十世纪三四十年代，著名编辑赵家璧在上海良友图书公司老板伍联德的支持下，历经十余年，陆续出版《良友文学丛书》，计四十余种。其中三十九种在上海出版，各书循序编号，后出几种则无。该套丛书以收入当时左翼及进步作家的作品为主，也选入其他各派作家作品。其中小说居多，兼及散文和文艺论著；第一号是鲁迅的译作《竖琴》。丛书一律软布面精装（亦有平装普及本），外加彩印封套，书页选用米色道林纸，售价均为大洋九角。

《良友文学丛书》选目精良，在现在看来，皆为名家名作；布面精装的装帧更是被许多爱书人誉为“有型有款”。不可否认，在装帧设计日益进步的当下，这套出版于二十世纪三四十年代的丛书外形已难称书中翘楚，但因岁月洗汰，人为毁弃，这套曾在出版史上一度“金碧辉煌”过的丛书首版已然成为新文学极其珍贵的稀见“善本”。

在《良友文学丛书》首版八十周年之际，为满足现代普通读者和图书馆对该丛书阅读与收藏的需求，我们依据《良友文学丛书》旧版进行再版（四种特大本不在其列）。本着尊重旧版原貌的原则，仅对旧版中失校之处予以订正。新版《良友文学丛书》采用简体横排的形式，以旧版书影做插图，装帧力求保持旧版风格，又满足当下读者的审美趣味。希望这一出版活动对缅怀中国出版前辈们的历史功绩和传承中国文化有所裨益，也希望广大读者多提宝贵意见和建议，以便我们把日后的工作做得更好。

《良友文学丛书》新版校订说明

一、本丛书收录原良友图书公司编辑赵家璧主编《良友文学丛书》共四十六种（四种特大本不在其列），乃为目前发现且确系良友版之全部。

二、此番印行各书，均选择《良友文学丛书》旧版作为底本，编辑内容等一律保持原貌，未予改窜删削。

三、所做校订工作，限于以下各项：

（1）将繁体字改为简体字；

（2）原作注释完全保留；

（3）尽量搜求多种印本等资料进行校勘，并对显系排印失校者在编辑中酌予订正；

（4）前后字词用法不一致处，一般不做统一纠正；

（5）给正文中提到的书籍和文章及其他作品标上书名号，原作书名写法不规范、不便添加符号者，容有空缺；

（6）书名号以外其他标点符号用法，多依从作者习惯，除个别明显排印有误者外均未予改动。

目　次

上　编

下编

上　编

我的学化学的朋友

前年冬天，偶然碰到了阔别十年的老朋友 K。几句寒暄以后，K 就很感触似的说：

“这十年工夫，中国真变得快!”

“哦——”

我含糊应了一声，心里以为 K 这“中国真变得快”的议论大概是很用心看了几天报纸的结果。他那时新回中国。他在外国十年，从没看过中国报纸，——不，应该说他从来不看报，无论中外。他是研习化学的，试验管和显微镜是他整个的生命，整个的世界!

K 看了我一眼，慢慢地吸着“白金龙，”又慢慢地喷出烟气来，然后慢慢地摇着头，申述他的感想——或者可说是印象：

“船到杨树浦，还不觉得什么异样；坐了接客小轮到铜人码头上岸，可就不同了！我出国的时候，这一带还没有七八层高的摩天楼。嗳，我是说那座‘沙逊房子，’可不是从前还没有？——第二天，亲戚世交都来了帖子请吃饭；看看那些酒馆的店号，自然陌生，那马路的名字倒还面熟，——×路，你记得的罢？民国九年，密司W逃婚逃到了上海，就住在×路的一个旅馆里，你和我都去看望过她。那时候，我们都是热腾腾的‘五四青年，’密司W的逃婚我们是百分之百拥护的——这些事，现在想来，我自己总要笑，但×马路却永远不能忘记了，在外国十年，只有这条马路我记得明明白白！可是今回我就闹了一个笑话。车夫拉到了×马路，我还不知道；我看见车夫停下车来，我就板起面孔喊他：‘怎么半路里停下来了？我是老上海，你不要乱敲竹杠！’……”

“哈哈哈哈！”

我忍不住大笑。

K也微微一笑，但是立刻又绉了眉头，接下去——

“当真，上海许多马路变到不认识了！后来，我一天一天怕出门了。回国已半个月，今天还是第三次出门呢！”

“是不是怕像上次那样闹笑话？”

“不然！马路换了样，是小事。我觉得上海的人全都换了样。尤其是上海的女人，当真我看不惯！”

听得这么说，我又笑了。那时候上海女人的时装是长旗袍外面套一件短大衣，细而长的假眉毛，和一头蓬松松的长头发。这和K出国那时所见密司W她们的装束显然不同。我自以为懂得K的心情了，他那时很看重密司W，不妨说，有几分恋爱她；想来那时候的密司W的装束也在K的心上留下了不可磨灭的印象罢？因此他觉得眼前的时装女人都“看不惯”罢？可是看见K一脸严肃的劲道，我不好意思开玩笑，我只随便回答着：

“噢噢，那个——但是，K，你以为现在女人的时髦装束不好看么？”

“嘿！那里谈得到好看不好看呢！简直是怪！”

K突然好像生气，大声叫了起来。于是，觉着我有点吃惊，他又放低了声浪，很悲哀似的接下去：

“老实告诉你，S，我觉得上海的女人简直是怪东西。说她们是外国人罢，她们可实在是中国人；说她们是中国人呢，哼！不像！我所记得的中国女人不是这样的！我不敢出来，就因为我看见了她们就感得不高兴，我好像到了陌生的地方，到了一个特别的国度！”

我睁大了眼睛，惊异到说不出话来。我想不到这位埋头在试验管和显微镜里的老朋友竟还有他个人的“哲学”。我看着K的脸，两道浓眉毛的紧绉纹表示了这位化学者的朴质的心正被化学以外的一些事苦恼着。我觉得应该多说几句话了，可是K又赶着先说道：

“譬如英国罢，——假使你要说譬如德国或法国，都一样；从前我并没有英国朋友，也没多见英国人，但是英国人，我能够了解他们。我读过英国历史，读过英国人所作的一些小说，读过关于英国民族性的书籍，所以我到了英国并不感到陌生，我知道那些面生的人们的思想和性格——或者用我们从前一句老话，人生观！现在上海可就不同了。上海这地方，就好像是一个新国度，历史上从来没有的；上海的男男女女就好像是一个新的人种，也是历史上从来没有的。从前我住在上海，并没有过这样的感觉，这次久别重来，我就分明感到了！我回到了故乡，可是我好像飘洋飘到了荒岛，什么都是异样的，我所不能了解的！"

"一点也不错，上海就是一个新国度。这个新国度，就是你出国后十年之内加速度造成的。你不看见租界和华界之间有许多铁门么？这就是'上海国'的界线！"

"唉！"

我的朋友叹一口气，手撑住了下巴，不作声了。过了一会儿，他自言自语的说：

"真糟糕！我是家在上海的。光景非在这个'国度'里做老百姓不可了，然而我是一个陌生人，这真糟糕！"

"但是，K，如果你住上半年，你就能够懂得上海人了。"

我的口气，一点不带玩笑，K似乎很感动。他望了我一眼，性急地问道：

"有这一类的书么？最好是有书。你知道我是研究化学的，有机物或无机物，我都能够分析化验，但是碰到活活的人，我的拿手戏法就不中用了！我只能从书本子上去了解他们。”

“书是没有的。不过有法子。你先去读读《洋泾浜章程》，研究研究租界里的‘华人教育’从前是怎样的，现在是怎样的；你还应该去考察考察上海有多少教堂，多少传道所，你要去听听牧师的传道；你要统计一下，上海有许多电影院，开映的是什么影片；你还要留心读读上海出版的西字报和华字报：——这样下去半年，你自然会懂得上海人了。”

“太难，太难！”

K苦闷地摇着头说。

“那么还有一个办法：你不要一头钻在试验管和显微镜里，你大着胆子到处跑跑，——上海女子的腥红的嘴唇不会咬你一口的；你混上半年，就很够了，不过到了那时候，你自己也成了上海人，也许你依然不懂得上海人是怎样一种‘民族’，然而你一定不会感得陌生！”

我说着又忍不住哈哈笑了。我知道我的这位老朋友的脾气；第一条路他不肯走，第二条路他也不能走，他是一个“书毒头！”（书呆子。）

K似乎也明白我的笑声里的意义，他的左手摸着下巴，愕然睁大了眼睛，接着又摇了摇头，轻声说：

“大概乡下还是十年前的老样子罢？我应该说上海

变得快，不是全中国，对不对?”

于是轮到我愕然张大了眼睛了。我真料不到K还是十年前的老脾气，抵死不看报纸。我拍着这位老朋友的肩膀，很诚恳地说：

“不错，K，你到乡下去住一下是很有益的！因为你那时就会知道乡下有些地方，有些人，也是你陌生的！那时你就知道中国境内不但有‘上海国’，还有许多别的国！”

说到这里，我的老婆走了进来，我就不管K怎样鼓起了眼睛发怔，一把拉他起来，要他“凑一个搭子”打四圈麻将再说。

关于“文学研究会”

一

虽则《现代》杂志社指明了要的是“文学研究会小史”，可是我写不出来。我以为此项小史，如果请郑振铎先生或者别位先生来担任，那才是最适宜的。我曾经把这意思告诉施蛰存先生，也告诉了郑先生。施先生是同意的；并且《现代》杂志也久矣渴望郑先生做文章，而今有这题目，正是“拉稿”的好机会了。（自然我也帮着拉一下。）然而郑先生因为教课编书太忙，五月以前，简直抽不出工夫来，而《现代》杂志也因出版关系，三月底一定要稿，于是本来居间帮着拉的我，只好权代郑先生了此文债；“小史”不能写，我就记下一点感想罢！

不过写“小史”的责任还在郑先生肩上，读者诸君固然渴望，施蛰存先生也未必肯放松，请读者诸君耐心等一下，至迟六月。

二

文学研究会发起的时候，有“缘起”，（可以说就是宣言，）有“章程”，后来各地有“分会”，有机关报似的“定期刊”，（各地分会也有定期刊，）又曾印过一次“会员录”，——这种种，都叫人看了就会认定它是一个有组织的文学团体，而且像要“包办”文坛。事实上，也曾引起严重的误会，冤冤枉枉地顶过“把持文坛”的罪名。究竟文学研究会是怎样的一个集团呢？好像还没有过详细的解释。

就我所知，文学研究会是一个非常散漫的文学集团。文学研究会发起诸人，什么“企图”，什么“野心”，都没有的；对于文艺的意见，大家也不一致——并且未尝求其一致；如果有所谓“一致”的话，那亦无非是“将文艺当作高兴时的游戏或失意时的消遣的时候，现在已经过去了，”这一基本的态度。现在想起来，这一基本的态度，虽则好像平淡无奇，而在当时，却是文学研究会所以能成立的主要原因，并且也是成立以后就“锋芒毕露”地成立了几个地方分会，而地方分会又出版定期刊的主要原因。假使我们说文学研究会是应了“要校正那游戏的消遣的文学观”之客观的必要而产生的，光景也没有什么错误罢？假如我们再想到此所谓“游戏的消遣的文学观"在当时如何根深蒂固，光景也就可以了解文学研究会同人在上海，北京，以及其他各地出版定期刊物，也是为了客观的必要，绝非想要"包办"或"把持"。说一句好像吹牛的话：当时文学研究会同人在反对游戏的消遣的文艺观这一点上，颇有点战斗的精神！

而当时这种"战斗"的精神及其表现，也是自然发生的。文学研究会发起时的"缘起"上并没有显明地表示这种纲领。文学研究会既成立后，也没有任何"工作计画"一类的决议。外边人看见文学研究会除以《小说月报》作为代用机关报外，又有许多周刊旬刊附在各地日报内，而这些周刊旬刊又标明了某处文学研究会分会主编的字样，遂以为凡诸一切都是文学研究会总会在那里有计画地进行，——这样的猜想，并不一定是恶意，但事实上恰正相反。这一切都是文学研究会同人"各自的行动"，并没有什么总机关在那里有计画地布置。（当时各种刊物亦不过互相交换而已，文稿都是各地自己负担，且亦未尝交互讨论过编辑方针。）这是"人自为战"！而所以有此"人自为战"的情形，当然不是想"包办"新文坛，而是要打破旧文学观念的包围。

我以为应该这样的去理解为什么本身组织非常散漫的文学研究会却表现了那样很有组织似的对旧文学观念的斗争。

三

有过一个时候，文学研究会被目为提倡著“为人生的艺术”。特别是在创造社成立以后，许多人把创造社看作“艺术派”，和“人生派”的文学研究会对立。创造社当时确曾提倡过“艺术至上主义”，而且是一种集团的活动。但文学研究会同人（依我所知）除了上述的那个对于文学的“基本态度”而外，并没有什么“集团”的主张。文学研究会会员中间有几位曾经热心地提倡了“为人生的艺术”，而且在文学研究会主编的刊物上（例如上海出版的《文学周报》）发表论文，这是事实；但这些论文，只是个人的主张，并非集团的。当时信仰“人生的艺术”的文学研究会会员从未在书面上或口头上表示那是集团的主张，反之，他们曾经因为当时反对者的论调太奇怪，（离开了文学思潮上的讨论，）而郑重声明过他们只以个人资格发表意见，并没有任何集团的名义，更无假借集团名义的意思，不过因为文学研究会主编的周刊或旬刊原来是公开的，而他们又是负责撰稿者，所以就在那些刊物上发表罢了。

但是外边人总把文学研究会看作“人生派”。一九二六年春间，我到广州去了一趟，那边的青年尚以此事为询，并且说：“现在文学研究会为什么不提倡人生派艺术？现在文学研究会主张什么?”我记得当时我的回话是这么几句：“文学研究会这团体并未主张过什么，但文学研究会会员个人却主张过很多，如果你要问我个人对于文学的意见，我是愿意说说的。”听了这样回答的青年就表示了有点不满意和惊讶；他们在一九二六年春间广州环境中当然以为任何集团必得有个“主张”，没有集团主张的集团是他们所不了解的。“那么，文学研究会这团体是代表着什么呀?”他们中间有一位又问了。“代表了文学研究会丛书！”我这样回答。

现在看来，文学研究会这团体虽然任何“纲领”也没有，但文学研究会多数会员有一点“为人生的艺术”的倾向，却是事实。而文学研究会同人中没有“英雄”想给这集团立一种什么纲领，却也是事实。虽然所谓“为人生的艺术”本质上不是极坏的东西，但在一般人既把这顶帽子硬放在文学研究会的头上以后，说起文学研究会是“人生派”时便好像有点讪笑的意味了。这讪笑的意味在当时是这样的：文学研究会提倡“人生派”艺术，却并没做出成绩来呀！用一句上海俗语，便是“戳牌头”而已！一九二八年以后，仍旧把文学研究会当作“人生派”的文学集团的人们却又把那讪笑转换了方向了；这就是我们常听得的一句革命歌诀：“什么人生派艺术，无非是小布尔乔亚的意识形态！”

我以为这两个态度都不免冤枉了文学研究会这集团。因为名为文艺集团的文学研究会除了反对“把文学当作高兴时的游戏或失意时的消遣”这一基本的而且共同的态度以外，就没有任何主张呀！也许有人以为这是大大的缺点。可是我们也不妨说，正因为它没有什么纲领，所以在“五四”以后新文学运动萌芽时期能够形成一个虽然很散漫但是很广大的组织，因而在反对游戏的和消遣的文学观这方面尽了微薄的贡献。

四

前些时偶然碰见了一位旧朋友，（他不是文艺界中的人），倾箱倒箧地说完了阔别七八年的陈话以后，这位朋友突然又问道：“文学研究会这团体，究竟现在还存在不?”这位朋友是研究建筑学的，他知道七八年来建筑术已经有了多少变迁，可是他不知道文学界的风雨表曾经起过怎样的变化；所以他郑重其事的问起了“究竟现在还存在不?”这样老实的问题，青年人就不会提出来。我当时就觉得这位天天和水泥钢骨做伴的朋友实在连思想性情也变硬了，硬到无法“转变”。然而他的眼睛钉住了我的面孔，好像不得回答决不罢休，于是我只好说了三个字：“不存在”。那里知道我这位朋友偏偏不肯相信，正像十年前有人决不肯相信文学研究会没有“包办文坛”的阴谋一般。我没有办法，只好再多说几句了：“那么，称它是存在罢！这个团体，自始就非常奇怪。说它只是一个空名目么?事实上不然。说它是有组织的集团么？却又不然。办杂志的人有两句经验之谈：起初是人办杂志，后来是杂志办人。文学研究会这团体也好像如此。起初是人办文学研究会，后来是文学研究会办人了！凡属文学研究会会员而住在上海的，都被它办过。它是什么呢？文学研究会丛书是也!”我的朋友还是不能满意，但是我不让他再问了。

我说这位学建筑的朋友“顽固到不可救药”，就因为他听说文学研究会“不存在”就好像很可惜似的。虽则我说明了这团体在最近十年来早就是不死不活的“存在”，他还是不满足。他为什么有这种感情，我不知道，我也不向他打听。我总觉得他是“顽固”罢了。……假使今日而犹有十年前那样的文学研究会存在，并且只想抗拒文艺界中的游戏消遣态度而拿不出簇新的集团的主张，那当然是“不革命”的集团了。所以我敢断定文学研究会之有若无的存在未始非它本身之幸。除了那位学建筑的“顽固”朋友，试问现在急进革命的青年或半青年有几个还觉得文学研究会在今日能够对新文学运动尽一分力量呢？不过这不在本文范围之内，恕不絮絮。

“现代化”的话

朋友，假如你不厌烦嚣，喜欢出来走走的话，有几处地方你不可不看。

上海的“东头”，杨树浦那一带，你喜欢么？想来你一定喜欢的！那边有许多纱厂，——中国轻工业的要塞。没有熟人，你只好望那些巍峨的厂门而兴叹。想来你总可以找到一个熟人罢？那么，中国棉纱大王的领土就许你进去了。可是得先关照你：你要忍耐，因为有几分钟的不舒服。因为那边的空气里全是棉花的纤维，大一点像鹅毛样的飞絮有时竟会一片一片扑到你脸上身上，粘住了不肯去；是的，那边的空气浓厚些，你一下里会觉得怪闷，怪胀似的。但是不过几分钟罢了。你立刻会惯。并且想来你一念及每天十二小时，在那样空气中作工的，也和你一样是人，你自然会仰脸行一次深呼吸，一点也不觉得什么了。

你将被引进了弹松“花衣”的工场。许多黝黑晶亮，蹲著的巨人似的机器，伸长了粗胳膊——直径二尺的粗铁管——就同手携手似的组成了工作的一列；它们从下面的帘形滚板上，（那你就说是“嘴”罢，为的那许多木条构成的滚板实在太像了牙齿），吞进了压得紧紧的“花衣”，于是通过了它们的肚子，消化，——唷，该说是扯松罢，于是又通过了它们的胳膊，送到另一位“巨人”的肚子里；这也干的同样工作——扯松，但一定是高级的工作，因为后来就看见它的一个斗形嘴巴里吐出那些“花衣”来了，那已经松松的，一看就叫你感得软绵绵，而且颜色也同雪一样白。

这些扯松了的“花衣”像雪块似的落下来，落进一个地洞去了。朋友，也许你当真认是一个洞罢？然而不然。洞是洞，不过洞下又是黑铁管的粗胳膊，“花衣”从这胳膊又运到另一个“巨人”的肚子里了。你要看个究竟，你得走到下层的机器间。

说来也许你不肯相信：下层机器间里的“巨人”们就好像专同上层机器间里的伙伴“鳖气”似的。好好儿弹得又松又白的“花衣”到它们肚子里不知道怎样一来，就从它们屁股里拉下，早又压得紧紧的，而且变成了一张毡似的，卷在一根铁棒上了。它们的扁屁股眼儿只管拉，拉，那铁棒只管卷，卷，到后来就像大筒的卷筒纸似的肥得很了，于是走来了一位工人，截断了那拉不完的“扁屎”，就那么连铁棒抱起来，搁到磅秤上过磅。

这时你的“熟人”也许会告诉你，这是“花衣”变成棉纱的第一步手续，（严格说，就是第二步），以后就要将这些卷筒纸样的棉毡拉成“棉条”了。

专拉“棉条”的钢巨人可就没有粗胳膊。个儿也小些。它们不很吵闹，那卷筒形的棉毡装在上面，慢慢地展开来，就同卷筒纸在印刷机上相仿；可是这专拉“棉条”的钢巨人有一把大钢梳，把那棉毡一梳一梳的又弄碎了，弄碎了就经过它的肚子，消化做浓雾似的喷出来，——朋友，请你想像我用的这个“雾”字；你用什么字好呢？实在可说是棉的瀑布，可是没有瀑布那样势头和厚实；那是稀薄的松松的，恰像雾，——然后这“雾”又经过了，或者被吸进了一个巧妙的部分，变做了手指那么粗的又白又嫩的“棉条”。这也是自动的拉出来，自动的装进了一个红漆的长圆铁筒。

以后，这些“棉条”尚须经过又一组的机器，（那是小得多，看样子就觉得它们是前面所说的那班钢巨人的少爷），六根并一根，抽成了较细然而较结实的一种“棉条”。于是再经过了吵闹得很利害的“小姐”式的一组机器，纺成了“粗纱”，——这有普通麻绳那么粗。由粗纱再纺成细纱。担任这一工作的机器，是十足的摩登小姐式了，顶会吵闹。它们一列车有四百个锭子；这些小家伙本来声音不大，可是它们成千成万打伙儿闹起来，那声音就可怕；你对面谈话，喊破了喉咙也听不见。粗纱间和细纱间里要许多女工伺候著；她们是整天没得坐的。她们要“接纱头”，她们要把“罗拉”上的棉絮拭去，她们管理锭子。前面说过的钢巨人却只要很少的几个人伺候，而且大都是男工。

朋友，也许你早就在什么洋行的样子间大玻璃窗前看见过那些成排的静静地站著的纺车罢？这都是供给我们中国人来开发中国，建设中国的。并且如果你到纱厂里看过，走出厂门来松一口气的时候，也许就幻想到中国的已经走上了资本主义的路而且民族资本主义已经确立，——至少像印度似的。

一句话来包括你的感想，朋友，你是相信中国是在著著地“现代化”！

不错呀！十年前的上海和现在很不相同的。现在上海是被大烟囱包围着。假使你从上海的“东头”转到“西头”，你就看见曹家渡一带也是纱厂林立，不过那是日本人的资本罢了。你再到南市，到闸北，到浦东，你到处看见大烟囱了。尤其是闸北，大大小小的丝厂和大大小小的各部门的工业，例如电料，洋伞，热水瓶，橡胶，搪瓷，几乎可说色色俱全，就像乡下的“露天毛坑”一样，到处可见。你进了南京路的国货商场，就觉得日用品都有“国产”的了。呵，呵，中国是在著著地“现代化”呵！

不错，中国在一步一步“现代化”，或是“工业化”，我也可以相信的；因为不但中国人自家开工厂，外国人也来开。拿纱厂来说罢，全中国共有纱厂一百二十八家，去年开工纱锭四百四十九万三千三百余枚，比前年增加了二十六万五千余枚；在这总数中，属于中国资本家的纱锭，计三百五十二万三千三百余，比前年增加了十四万一千七百多枚，属于日本资本家的，却也有一百七十八万七千余锭，比前年也增加了十万多枚。然而出品呢，去年中国纱厂对日商纱厂只成了一百四十二万七千包对八十万〇五千包之比！再讲到原料呢，朋友，你的“熟人”自会告诉你，灵宝花衣怎样不行，只能掺用，因此他们是仰给于美棉的！新近成立的五千万美金大借款，据说就是专购美国的棉麦，救济中国的纺织工业的。这也可见中国将更被“开发”，而且“利用”了外资！

但是朋友，咱们是不“谈”政治的，咱们仍旧讲讲“上海景致”罢。要是你觉得看了大烟囱还不够，我劝你上三马路，北京路，宁波路，还有外滩；那边是中国的金融枢纽。你踱进了中央，中国，或是交通，——这三家大银行；也许你会看到一件事觉得奇怪；那就是在一处的铜栏干后面有些办事人老是拿著一叠小小的不过半寸阔寸把长的花纸片很快的数著数著。你一定惊赞他们手法的纯熟。而且你也许会看见（要是在月底）铜栏干外挤攒著人手，又都是拿了那些小小的花纸片一束或者竟是一厚叠。朋友，这些小小的花纸片就是公债库券的息票或本息票，因为政府发行的公债库券已经有十一万万了。朋友，也许你因此会想到中国国民的储蓄能力毕竟不弱罢？那么，你最好再去观光一次上海的公债市场。在那边，每天成交在千万以上；满脸流汗的投机者，总在“百万翁”和“穷光蛋”这阶段中间滚。在那边，“做交易”的冲锋似的呐喊，“空头”的大胆，“多头”的魄力，操纵的奇妙，都叫乡下土财主瞪大了眼睛莫明其妙。内地的金钱逃到上海来了，而在现代式的操纵下，不知道有了多少乡下土财主压得粉粹，于是逃到上海来的金钱又这样“集中”在少数人的手里了。不用说，资金集中，“财阀”造成，也是中国的“现代化”的微象！

朋友，你喜欢乐一下么？那就有现代化的各种娱乐随你去挑选。你要是爱细腰粉腿，就有跳舞场。或是你只要看看电影，好呀，大大小小的电影院都有！新开幕的大光明，据说是东亚第一的现代化。现代式的建筑，现代式的装璜；一百多尺的灯塔，远远地就领导你的路向；三个喷水泉喷射五色的花雨；最新科学发明的冷气和热气的装置，最新式的发音机，没有回声的软砖，二千个舒服的座位；而且开映的将是最近欧美现代生活的影片。

并且请你千万不要忘记大光明左近就有建筑中的

二十二层的四行储蓄会大厦。这是上海建筑现代化的代表!

所以谁说中国没有进步，不是盲目，就是丧心病狂。

朋友，再说到内地农村罢。现在大家都嚷著农村经济破产。但是破产尽管破产，现代化仍是著著地在进行呀！这个，你不到农村去看，也可以知道。这几年来，公路成了不少，乡下人也有眼福看见汽车了；跟著交通的发达，向来鄙塞，洋货和钞票不大进得去的地方也就流通无阻了；生活程度也慢慢跟著高了；生活程度高，又是“现代化”的显著征象。还有，跟著交通的发达，大都市里的时髦风气也很快地灌进内地去了；剪发，长旗袍，女大衣，廉价的人造丝织品，国产电影，一齐都来了。都市和乡镇现在正起了交流作用，乡镇的金钱流到都市，而都市的“现代”风气的装饰和娱乐流到乡镇。然而我的朋友，最好你到农村里住上几个月。那时你就知道农村之急速地现代化，竟出乎你的意料。譬如从前乡下人的劳力还可以在就地零碎出卖：大地主收了几百石的租米，需要很多短工来打白，现在则机器碾米厂到处有的是，工作又快，工钱又便宜，乡下人的劳力就没有人请教。从前戽水用人工，逢到大水年成，乡下人自己收成无望，也还可以出卖劳力给大地主，混他个把月的食粮，现在则“洋水车”把他们排除了。这些还都不算什么。最重要的，资本主义经营的大农场也在有些地方出现了！从前高利贷者的兼并土地还不过是"蚕食"，现在农村资本主义的手腕则是"鲸吞"了。从前乡下人就怕年成不好，现在则年成好了更恐慌，这加速了农村的土地集中，而土地集中就是最显著的农村"现代化"。

所以，朋友，我再说一句：谁以为中国没有"进步"，不是盲目，就是丧心病狂！

香市

“清明”过后，我们镇上照例有所谓“香市”，首尾大约半个月。

赶“香市”的群众，主要是农民。“香市”的地点，在社庙。从前农村还是“桃源”的时候，这“香市”就是农村的“狂欢节”。因为从“清明”到“谷雨”这二十天内，风暖日丽，正是“行乐”的时令，并且又是“蚕忙”的前夜，所以到“香市”来的农民一半是祈神赐福（蚕花廿四分），一半也是预酬蚕节的辛苦劳作。所谓“借佛游春”是也。

于是“香市”中主要的节目无非是“吃”和“玩”。临时的茶棚，戏法场，弄缸弄甏，走绳索，三上吊的武技班，老虎，矮子，提线戏，髦儿戏，西洋镜，——将社庙前五六十亩地的大广场挤得满满的。庙里的主人公是百草梨膏糖，花纸，各式各样泥的纸的金属的玩具，灿如繁星的“烛山”，薰得眼睛流泪的檀香烟，木拜垫上成排的磕头者。庙里庙外，人声和锣鼓声，还有孩子们手里的小喇叭，哨子的声音，混合成一片骚音，三里路外也听得见。

我幼时所见的“香市”，就是这样热闹的。在这“香市”中，我不但赏鉴了所谓“国技”，我还认识了老虎，豹，猴子，穿山甲。所以“香市”也是儿童们的狂欢节。

“革命”以后，据说为的要“破除迷信”，接连有两年不准举行“香市”。社庙的左屋被“公安分局”借去做了衙门，而庙前广场的一角也筑了篱笆，据说将造公园。社庙的左偏殿上又有什么“蚕种改良所”的招牌。

然而从去年起，这“迷信”的香市忽又准许举行了。于是我又得机会重温儿时的旧梦，我很高兴地同三位堂妹子（她们运气不好，出世以来没有见过像样的热闹的香市），赶那香市去。

天气虽然很好，“市面”却很不好。社庙前虽然比平日多了许多人，但那空气似乎很阴惨。居然有锣鼓的声音。可是那声音单调。庙前的乌龙潭一泓清水依然如昔，可是潭后那座戏台却坍塌了，屋椽子像瘦人的肋骨似的暴露在“光风化日”之下。一切都不像我儿时所见的香市了！

那么姑且到唯一的锣鼓响的地方去看一看罢。我以为这锣鼓响的什么变把戏的，一定也是瘪三式的玩意了。

然而出乎意料，这是“南洋武术班”，上海的良友画报六十二期揭载的“卧钉床”的大力士就是其中的一员。那不是无名的“江湖班”。然而他们只售票价十六枚铜元。

看客却也很少，不满二百。（我进去的时候，大概只有五六十）。武术班的人们好像有点失望，但仍认真地表演了预告中的五六套：马戏，穿剑门，穿火门，走铅丝，大力士……他们说：“今天第一回，人少，可是把式不敢马虎，——”他们三条船上男女老小总共有到三十个！

在我看来，这所谓南洋武术班的几套把式比起从前“香市”里的打拳头卖膏药的玩意来，委实是好看得多了。要是放在十多年前，怕不是挤得满场没个空隙儿么？但是今天第一天也只得二百来看客。往常“香市”的主角，——农民，今天差不多看不见。

后来我知道，镇上的小商人是重兴这“香市”的主动者；他们想借此吸引游客振兴市面；可是他们也失望了！

大减价

法国小说家左拉的《罗贡马惹说荟》中有一部描写百货商店的，叫做《太太们的乐园》。资本雄厚的大百货商店如何压迫那些小商店，小商店的顽强抵抗，如何终于失败；是这小说的主要题材。所谓“太太们的乐园”就是书中那百货商店的牌号。

左拉描写那百货公司经理的战略是“薄利多卖，”而号召顾客的手段就是“大减价。”百货公司为要击破某一对手时，真能够“减价”的。它的资本雄厚，它的宣传广阔，小商店自然不是它的敌手，只有破产。

自从上海有了百货公司后，每逢他们大减价的时候，我就替那些小商店捏一把汗。然而事有例外，十年前第一家百货公司出现于南京路时，虽则听得小商店的老板绉著眉头说“生意走完了，”可是到现在好像他们依然还能挣扎。并且自从百货商店首创了“大减价”后，小商店也就学样，有些铺子简直是一年到头在“大减价，”

天天是布旗飞扬，军乐队奏著“十八摸”之类的小曲。

今年为的市面不景气，每条马路上天天有大减价的旗帜和乐队；看的人很多，买的人很少。就是几家大百货公司也比往年多来几回大减价。进去一看，真热闹，特别是绸缎布匹部挤得厉害。于此可见大公司的号召力毕竟不凡。看著那些高堆的匹头，挤拥不开的顾客，脸红流汗的店员，叮叮叮不断的叫铃响，我就想到了左拉所写的大减价时作战似的气分，我又恍惚听得同一马路上也在大减价中的小商店楼上的蹩脚军乐队奏著“十八摸”，愈奏愈显得冷落悲哀。

在不景气的现在，小商店的挣扎更加困难；左拉所写的那些现象，也许终于要在我们这里出现罢？不过同是大资本压倒小资本，意义却又各别；我们这里所演奏的，不是繁荣的向上发展，而是向下的仅能自保，整个市面在衰落著！

田家乐

从前的“田园诗人”歌咏四时“田家乐,”特别要出力描写农民在冬季的快乐。在冬季，新谷登仓，农事已毕，农民们一年的辛苦得了报偿，蹲在廊前晒太阳，安心等待过新年，辛苦的农民于是可以休息一下。

此种太平景象的“田家乐”也许不是“心萦魏阙”的田园诗人故意说谎。民间的无名诗人也编出了无数的通俗的“四时田家乐,”给农民们在水车头在打谷场上歌唱。

然而动机是不同的。风雅的“田园诗人”意在颂扬“尧天舜日”下的治绩，民间歌人则直诉了朴质的农民在一年中“和土地奋斗”所备尝的甜酸苦辣。

并且民间歌人的鼓词或小调大都把“春耕、夏耘、秋收、冬藏”的农事历程描写得很具体，很详细，把农事的知识来歌谣化了。希腊古代的传说的诗人海喜阿(He-siod)有长诗《工作与时日》也就是那样具备了

“实用农事教科书”的资格的“四时田家乐。”

太平时代产生了“田家乐,”那么,荒乱年头就应该有“田家叹”了。太平时代的冬季,是农民一年辛苦的报偿,也是辛苦了一年的农民仅有的几天的休息行乐;荒乱年头的冬季却是“总结账”的关头:辛苦一年的人们得了无衣无食的报偿。也许有“休息。”那却是在监狱。

此种景象,“田园诗人”自来不肯形诸笔墨。民间的歌人呢,是要“叹”的。大都是短短的小曲。至于从借债播种直到新谷粒粒入官还债,只剩下空肚子过年,那样的“四时田家叹”的长鼓词,则忙于衣食的民间歌人尚无暇制作。

波兰的小说家莱芒(W. ST. Reymont)写过一部四卷的小说《农民》,按四季描写了农家的苦痛。可了不得,直欲上追海喜阿了!莱芒不久就得了诺贝尔文学奖。然而据诺贝尔文学奖金委员会的意思,庄稼事人人惯见,何足为奇,他们委员先生所“惊赏”者乃在此四卷头的巨著描写的有农民们的原始性的残酷,淫纵,与贪欲。“文明人”的“评判家”真会消遣,连穷人们的眼泪也成为他们“鉴赏”的资料!

庄稼事人人见惯,固然是平易的。然而单就农事的过程说,自播种以至收获,和天时奋斗,和蝗虫奋斗,五六个月的工夫中间,始而抱着不可知却又似乎有把握的希望，继而忽喜忽忧，直到田里结满了粒粒的“黄金，”这一直下来都是紧张的“作战”样的生活，实在天生是很好的“结构。”何况还有收获以前的借债，收获以后的逼租，赎衣服，贱卖新谷，都又是极动人的“穿插？”田家生活何尝是“平易”的呵！

近来的田家生活实在是变化太多，有些事连顶好的“幻想家”也想像不到。

这都是厚待我们的作家，是在那里加工给作家们创造材料。

和这相比，不但以前那些民间歌人的什么“田家乐”鼓词见得平淡贫乏，就是莱芒的世界驰名的大著春夏秋冬的农民也成为描头画角的无聊的卖弄了。更不用说布克夫人的《大地》。这部“东方生活”的英文小说用中国一句成语来说，就是“隔靴搔痒。”

乡村杂景

人到了乡下便像压紧的弹簧骤然放松了似的。

从矮小的窗洞望出去，天是好像大了许多，松喷喷的白云在深蓝色的天幕上轻轻飘著；大地伸展著无边的“夏绿，”好像更加平坦；远处有一簇树，矮矮地蹲在绿野中，却并不显得孤独；小河反射着太阳光，靠着那些树旁边弯弯地去了。有一座小石桥，桥下泊着一条“赤膊船。”

在乡下，人就觉得“大自然”像老朋友似的嘻开着笑嘴老在你门外徘徊——不，老实是“排闼直入，”蹲在你案头了。

住在都市的时候到公园里去走走，你也可以看见蓝天，白云，绿树，你也会暂时觉得这天，这云，这树，比起三层楼窗洞里所见的天的一角，云的一抹，树的尖顶确是更近于“自然；”那时候，你也会暂时感到“大自然”张开了两臂在拥抱你了。但不知怎地，总也时时会感得这都市公园内所见的“大自然”不过是“大自然”的一部分，而且好像是“人工的，”——比方说，就像《红楼梦》大观园里的“稻香村”的田园风光是“人工的”一般。

生长在农村，但在都市里长大，并且在都市里饱尝了“人间味”，我自信我染著若干都市人的气质；我每每感到都市人的气质是一个弱点。总想摆脱，却怎地也摆脱不下；然而到了乡村住下，静思默念，我又觉得自己的血液里原来还保留着乡村的“泥土气息。”

可以说有点爱乡村罢?

不错，有一点。并不是把乡村当作不动不变的“世外桃源”所以我爱。也不是因为都市“丑恶。”都市美和机械美我都赞美的。我爱的，是乡村的浓郁的“泥土气息。”不像都市那样歇斯底烈，神经衰弱，乡村是沉着的，执拗的，起步虽慢可是坚定的，——而这，我称之为“泥土气息。”

让我们再回到乡村的风景罢——

这里，绿油油的田野中间又有发亮的铁轨，从东方天边来，笔直的向西去，远得很，远得很；就好像是巨灵神在绿野里划的一条墨线。每天早晚两次，机关车拖着一长列的车厢，像爬虫似的在这里走过。说像爬虫，可一点也不过分冤枉了这家伙。你在大都市车站的月台上，听得“嗜”——的一声歇斯底烈的口笛，立刻满月台的人像鬼迷了似的乱推乱撞，而于是，在隆隆的震响中，“这家伙”喘着大气冲来了，那时你觉得它是快得很，又莽撞得很，可不是？然而在寥阔的田野中，凭著短窗远远地看去，它就像爬虫，怪妩媚的爬着，爬着，直到天边看不见，混失在绿野中。

晚间，这家伙按着钟点经过时，在夏夜的薄光下，就像是一条身上有磷光的黑虫，爬得更慢了，你会代替它心焦。

还有那天空的“铁鸟，”一天也有一次飞过。像一个尖嘴姑娘似的，还没见她的身影儿就听得她那吵闹的骚音。飞的不很高，翅膀和尾巴看去都分明。它来的时候总在上午，乡下人的平屋顶刚刚袅起了白色的炊烟。戴着大箬笠穿了铁甲似的“蒲包衣，”（乡下人夏天落田，都穿这特别的蒲包衣，犹之雨天穿蓑衣或棕衣，）在田里工作的乡下人偶然也翘头望一会儿，一点表情都没有。他们当然不会领受那“铁鸟”的好处，而且他们现在也还没吃这“铁鸟”的亏。他们对于它淡漠得很，正像他们对于那“爬虫。”

他们憎恨的，倒是那小河里的实在可怜相的小火轮。这应该说是一“伙”了。因为有烧煤的小火轮，也有柴油轮，——乡下人叫做“洋油轮船，”每天经过这小河，相隔二三小时就听得那小石桥边有吱吱的汽管叫声。这小火轮的一家门，放在大都市的码头上，谁也看它们不起。可是在乡下，它们就是恶霸。它们轧轧地经过那条小河的时候总要卷起两道浪头，泼辣辣地冲打那两岸的泥土。这所谓“浪头，”自然么小可怜，不过半尺许高而已，可是它们一天几次冲打那泥岸，已经够使岸那边的稻田感受威胁。大水的年头儿，河水快与岸平，小火轮一过，河水就会灌进田里。就在这一点，乡下人和小火轮及其堂兄弟柴油轮成了对头。

小石桥迤西的河道更加窄些，轮船到石桥口就要叫一声，仿佛官府喝道似的。而且你站在那石桥上就会看见小轮屁股后那两道白浪泛到齐岸半寸。要是那小轮是烧煤的，那它沿路还要撒下许多黑屎，把河床一点一点填高淤塞，逢到大水大旱年成就要了这一带的乡下人的命。乡下人憎恨小火轮不是盲目的没有理由的。

沿着铁轨来的“爬虫”怎样像蚊子的尖针似的嘴巴吮吸了农村的血，乡下人是理解不到的；天空的“铁鸟”目前和乡村是无害亦无利；剩下来，只有小火轮一家门直接害了乡下人，就好比横行乡里的土豪劣绅。他们也知道对付那水里的“土劣”的方法是开浚河道，但开河要抽捐，纳捐是老百姓的本分，河的开不开却是官府的事。

刚才我不是说小石桥西首的河身特别窄么？在内地，往往隔开一个山头或是一条河就另是一个世界。这里的河身那么一窄，情形也就不同了。那边出产着“土强盗。”这也是非常可怜相的“土强盗,”没有枪，只有锄头和菜刀。可是他们却有一个“军师”。这“军师”又不是活人，而是一尊小小的泥菩萨。

这些“土强盗”不过十来人一帮。他们每逢要“开市,”大家就围住了这位泥菩萨军师磕头膜拜，嘴里念着他们的“经,”有时还敲“法器,”跟和尚的“法器”一样。末了，“土强盗”伙里的一位，——他是那泥菩萨军师的“代言人,”——就宣言“今晚上到东南方有利,”于是大家就到东南方。“代言人”负了那泥菩萨到一家乡下人的门前，说“是了,”他的同伴们就动手。这份被光顾的人家照例是什么值钱的东西也不会有的，“土强盗”自然也知道；他们的目的是绑票。住在都市里的人一听说“绑票”就会想到那是一辆汽车，车里跳下四五人，都有手枪，疾风似的攫住了目的物就闪电似的走了。可是我们这里所讲的乡下“土”绑票却完全不同。他们从容得很。他们还有“仪式。”他们一进了“泥菩萨军师”所指定的人家，那位负着泥菩萨的“代言人”就站在门角里，脸对着墙，立刻把菩萨解下来供在墙角，一面念佛，一面拜，不敢有半分钟的停顿。直到同伴们已经绑得了人，然后他再把泥菩萨负在背上，仍然一路念佛跟着回去。

第二天，假使被绑的人家筹得了两块钱，就可以把肉票赎回。

据说这一宗派的“土”绑匪发源于温台，可是现在似乎到处全有了。而他们也有他们的“哲学。”他们说，偷一条牛还不如绑一个人便当。牛使牛性的时候，怎地鞭打也不肯走，人却不会那么顽强抵抗。

真是多么可怜相，然而妩媚的绑匪呵？

陌生人

火车不通轮船不到的乡村近来也闯进了“陌生人”了。他们和火车轮船是本家。他们中间最有势力的，是兄弟俩。

我们先说“陌生人”中间的老大。

镇上有一座土地庙。如果父老的传说可信，则“该”庙的“大老爷”原是明末清初的一位忠臣，三四百年来，享受此方人民的香火。不用说，他应该保佑这一方的老百姓了。乡下人迷信这位土地老爷特别关心蚕桑，所以每年清明节后“嬉春祈蚕”的所谓“香市”一定举行在这土地庙。

杭州岳坟前跪着秦桧和王氏的铁像。上杭州去烧香的乡下人一定要到“岳老爷坟上”去一趟，却并不为瞻仰忠魂而为的要摸跪在那里的王氏的铁奶；据说由此一摸，蚕花能够茂盛。但是我们这里所说的土地老爷虽则也是忠臣却没有冤家的“铁奶”供乡下人摩摸。反而是乡下女人自己的肉奶在神座前被男性的手摸了一把就可以蚕花好。因此大奶奶的乡下女人一定要在土地老爷的神座前挤一下。

这也是百年相承的习俗。即使被摸以后依然蚕花不熟，从不会怪到奶，更不会怪到土地老爷。总之，祈蚕必须在这土地庙。

可是近来，“陌生人”……闯进了这土地庙而且和土地老爷抢生意了。庙门前挂了一块招牌：蚕种改良分所。

庙里的一间大厅被派作“改良种”的养育场。墙壁糊了白纸，雕刻着全部“三国演义”的长窗上半截都换了玻璃，几个学生模样的青年男女在那里忙着。所谓村长也者，散着传单，告诉乡下人道：“官府卖蚕种了，是洋种！要蚕好，去买洋种罢!”乡下人自然不去理睬这个“陌生人”。但是后来卖茧子，听说洋种茧一担要贵上十多块，乡下人心里不能不动了。于是就有几个猴子脾气的乡下人从土地老爷驾下转变到“陌生人”手里了。他们是冒险的。因为购洋种，须得隔年先交钱，须得“存记,”而且到来年“收蚁”时，要由“改良分所”的学生模样的年青女人决定日子，甚至收了蚁再交给乡下人。这可糟糕！‘陌生人’太不管千百年相传的老规矩了！而且洋种也不一定好。乡下人觉得还是土地老爷可靠。于是“改良分所”也不得不迁就些，只管卖种，不再包养“儿子”了。既不“包养儿子,”下种的时候自然免不了撒烂污。但是这“陌生人”的劳力却一天一天强大；因为它有靠山：一是茧厂规定洋种茧价比土种贵上三四成，二是它有保护，下了一记“杀手锏,”取缔土种。

“陌生人”老二就是鼎鼎大名的肥田粉。他和他的老兄不同。他是笑嘻嘻“一团和气”踏进了农村。记不清是那一年，这盐样的肥田粉被一些买不起豆饼的乡下人冒险试用。这时肥田粉的价钱便宜得很。然而“力道”可不差！粉撒下去，两三天后，失了营养的稻就会挺健生青。于是乎这位“陌生人”老二就很容易地取得了守旧的农民的信用。特别因为它比豆饼的价钱便宜一半多。

第二年，豆饼的营业地盘缩小了一半，而肥田粉的价钱比上年更便宜；因为市场上有两种牌子的肥田粉跌价竞争。乡下人朝天松一口气：“到底老天爷有眼睛，可怜乡下人!”

又过了一年，没有商人再敢贩卖豆饼，可是肥田粉却像潮水一般涌到，每家小商店都带卖肥田粉。甚至卖糖食的三麻子也用栲栳盛着那盐一样的宝贝粉摆在店门前，说是一百二百文零买也行。一条街上也许有几家铺子不卖香烟，可没有一家不卖肥田粉。这也怪不得：第一，“经售”肥田粉毋须大资本，（这和豆饼就不同;）

第二，肥田粉的牌子更加多了，大家跌价倾销，小商人有利可图。结果，肥田粉就打倒了豆饼。

但是肥田粉这一家门虽然同姓同名，脾气可不相同。最初来的那一支跟土性合得来，它就立了功。现在大家一哄而来，乡下人以为只要是光头就一定会念经，而小商人也只要推销得动，大家乱来一顿，结果是稻遭了厄运。

怎么办呢？肥田粉倒底不行！再买豆饼罢？豆饼商只剩一家了，高抬货价，乡下人问也不敢问。于是老法子，专靠人粪。第二年，小商人也不敢带卖肥田粉了，豆饼价钱依然贵得怕煞人。不过最初来的那号肥田粉还有人"经售，"并且大吹"本粉真正老牌，肥力充足；"而且价钱究竟比豆饼便宜，（虽然粉已经涨价，）乡下人只好大着胆子再用。这一来，"陌生人"老二当真在乡村里生了根。这根愈长愈大，深入到农村，肥田粉的价钱也就愈来愈高。农村的金钱又从这一个裂口流入了都市，流到了外洋。

现在大家都说要促进农村的生产力量。这话如果当真有可能，我们这里所介绍的"陌生人"兄弟俩就要做主角。并且事实上他们俩已经登上了农村的舞台，霸占在那里了。他们也许本来生得不坏，而且我们科学地信仰他们是好相识；但是目前成效如何，读者也许看了本文还不大明白，那就请到乡下去住上半年八个月罢！

谈迷信之类

辛亥革命的“前夜”，乡村里读“洋书”的青年人有被人侧目的“奇形怪状”凡三项：一是辫发截短了一半，末梢蓬松，颇像现在有些小姑娘的辫梢，而辫顶又留得极小，只有手掌似的一块，四围便是极长的“刘海，”二是白竹布长衫，很短，衣袖腰身都很窄小，裤脚管散着；三呢，便是走路直腿，蒲达蒲达地像“兵操，”而且要是两三个人同走，就肩挨肩的成为一排。

当时这些年青人在乡间就成为“特殊阶级。”而他们确也有许多特殊的行动。最普通的便是结伴到庙里去同和尚道士辩难，坐在菩萨面前的供桌上，或者用粉笔在菩萨脸上抹几下。碰到迎神赛会，他们更是大忙而特忙；他们往往挤在菩萨轿子边说些不尴不尬的话，乘人家一个眼错，就把菩萨头上的帽子摘了下来，藏在菩萨脚边，或者把菩萨的帽子换了个方向，他们则站在一旁拍掌大笑。

当时的青年“洋”学生好像不自觉地在干着“反宗教运动;”他们并没有什么组织，什么计划，他们的行动也很幼稚可笑，然而他们的“朝气”叫人永远不能忘却。他们对于宗教的认识，自然很不够，可是他们的反对“迷信,”却出自一片热忱，一股勇气，所以乡下的迷信老头子也只好摇着头说：“这些天不怕地不怕的小伙子，菩萨也要让他们几分了!”

去年我到乡下去养病，偶然也观光了“青天白日”下的“新政,”看见一座大庙的照墙上赫然写着油漆的标语：“省政府十戒”。其中第一条就是戒迷信！庙前的戏台上原来有一块“以古为鉴”的横额，现在也贴上了四块方纸，大书着“天下为公”，两边的木刻对联自然也改穿新装，一边是“革命尚未成功”，一边当然是“同志仍须努力”了。这种面目一新的派头，在辛亥革命时代是没有的，于是我微笑，我感到“时代”是毕竟不同了!

然而后来我又发见庙里新添的许多善男信女恭献的匾额中有一方写着“信士某某率子某某”者，原来就是二十五年前“菩萨也要让着几分”的“洋”学生。他现在皈依在神座下了！并且他“率子某某”皈依了！并且我也看不见二十五年前蒲达蒲达地直了腿走路的年青人在乡间和菩萨捣乱了！从前那个“洋学堂”只有几十个学生，现在是几百了，可是他们都没有什么“奇形怪状。”他们大都是中产阶级的子弟，也和二十五年前的一样。不过他们和二十五年前的“前辈先生”显然有点不同，就在他们所唱的歌曲上也可以看出来了；从前是“男儿志气高，年纪不妨小”，而现在却是“毛毛雨了！”于是我又微笑，我不很明白这到底也是不是“时代”不同了么？

从前和菩萨捣乱的青年人读《古文观止》，做“秦始皇汉武帝合论，”知道地是圆的球形，知道“中国”实在并不居天下之中，知道富强之道在于船坚炮利——如此而已。他们的头脑实在远不及现在的年青人，然而他们和当时社会乃至家庭的“思想冲突”却又远过于现在的年青人。近年来中国是“进步”了，簇新的标语，应时应节的宣传纲领，——例如什么纪念日的什么“国货运动周”，“航空救国周”，“拒毒运动周”等等，都轮流贴满了乡村里小茶馆的泥墙。正所谓“力图建设，”和二十五年前的空气相差十万八千里。这在认识不足的年青人看来，当然觉得自己和社会之间没有什么了不起的不调和。而况他们的家庭既不禁止他们进学校，也不禁止他们自由结婚。

并且即使有些不顺眼的事情也都以堂皇的名义来公开实行，即如小小的迎神赛会亦何尝不在迷信之外另找一个冠冕堂皇的名目——振兴市面。

今年大都市里天天嚷着“农村破产，”“救济农村。”

于是“振兴农村”的棉麦借款就应运而生。乡村间也要“振兴市面”的，恰好今夏少雨，于是祈雨的迎神赛会也应运而生。一个乡镇的四条街各自举行了一次数十年来未有的大规模的迎神赛会。一位“会首”说：“我们不是迷信，借此振兴市面而已!”这句话自然开通之至。因而假使有些“读洋书”的年青人夹在中间帮忙，也就“合理”得很。

迎神赛会总共闹了一个月光景。而且一次比一次“更见精采”。听说也化了万把块呢。然而茶馆酒店的“市面”却也振兴了些。有人估计，赛会的一个月中；邻近乡镇来看热闹的人，总共也有万把人；每人化费二元，就有二万元，也就是“市面”上多做了二万元的生意。这在市面清淡的现今，真所谓不无小补。

有一位“躬与其盛”的先生对我说：“最热闹的一夜，四条街都挤满了人，约有十万的看客。轮船局临时添了夜班，航船和快班船也添了夜班，甚至有一夜两班的。有几个邻镇向来没有轮船交通，此时也都开了临时特班轮。”

所以把一切费用都算起来，在赛会的一个月间，市面上至少多做了十万元的生意。这点数目很可使各业暂时有起色，然而对于米价的低落这是没有关系。结果，赛会是赛过了，雨也下过了，农民的收成据说不会比去年坏，不过明年的米价也许比今年还要贱些呢……。

冬天

诗人们对于四季的感想大概颇不同罢。一般的说来，则为“游春”，“消夏”，“悲秋”——冬呢，我可想不出适当的字眼来了，总之，诗人们对于“冬”好像不大怀好感，于“秋”则已“悲”了，更何况“秋”后的“冬?”

所以诗人在冬夜，只合围炉话旧，这就有点近于“蛰伏”了。幸而冬天有雪，给诗人们添了诗料。甚而至于踏雪寻梅，此时的诗人俨然又是活动家。不过梅花开放的时候，其实“冬”已过完，早又是“春”了。

我不是诗人，对于一年四季无所偏憎。但寒暑数十易而后，我也渐渐辨出了四季的味道。我就觉得冬天的味儿好像特别耐咀嚼。

因为冬天曾经在三个不同的时期给我三种不同的印象。

十一二岁的时候，我觉得冬天是又好又不好。大人们定要我穿了许多衣服，弄得我动作迟笨，这是我不满意冬天的地方。然而野外的茅草都已枯黄，正好“放野火，”我又得感谢“冬”了。

在都市里生长的孩子是可怜的，他们只看见灰色的马路，从没见过整片的一望无际的大草地。他们即使到公园里看见了比较广大的草地，然而那是细曲得像狗毛一样的草皮，枯黄了时更加难看，不用说，他们万万想不到这是可以放起火来烧的。在乡下，可不同了。照例到了冬天，野外全是灰黄色的枯草，又长又密，脚踏下去簌簌地响，有时没到你的腿弯上。是这样的草，——大草地，就可以放火烧。我们都脱了长衣，划一根火柴，那满地的枯草就毕剥毕剥烧起来了。狂风着地卷去，那些草就像发狂似的腾腾地叫着，夹着白烟一片红火焰就像一个大舌头似的会一下子把大片的枯草舐光。有时我们站在上风头，那就跟着火头跑；有时故意站在下风，看看烈焰像潮水样涌过来，涌过来，于是我们大声笑着嚷着在火焰中间跳，一转眼，那火焰的波浪已经上前去了，于是我们就又追上去送它。这些草地中，往往有浮厝的棺木或者骨殖甏，火势逼近了那棺木时，我们的最紧张的时期就来了。我们就来一个“包抄，”扑到火线里一阵滚，收熄了我们放的火。这时候我们便感到了克服敌人那样的快乐。

二十以后成了“都市人”，这“放野火”的趣味不能再有了，然而穿衣服的多少也不再受人干涉了，这时我对于冬，理应无憎亦无爱了罢，可是冬天却开始给我一点好印象。二十几岁的我是只要睡眠四个钟头就够了的，我照例五点钟一定醒了；这时候被窝是暖烘烘的，人是神清气爽的，而又大家都在黑甜乡，静得很，没有声音来打扰我，这时候，躲在那里让思想像野马一般飞跑，爱到那里就到那里，想够了时，顶天亮起身，我仿佛已经背着人不声不响自由自在，做完了一件事，也感得一种愉快。那时候，我把“冬”和春夏秋比较起来，觉得“冬”是不干涉人的，它不像春天那样逼人困倦，也不像夏天那样使得我上床的时候弄堂里还有人高唱《孟姜女》，而在我起身以前却又是满弄堂的洗马桶的声音，直没有片刻的安静。而也不同于秋天。秋天是苍蝇蚊虫的世界，而也是疟病光顾我的季节呵！

然而对于“冬”有恶感，则始于最近。拥着热被窝让思想跑野马那样的事，已经不高兴再做了，而又没有草地给我去“放野火”。何况近年来的冬天似乎一年比一年冷，我不得不自愿多穿点衣服，并且把窗门关紧。

不过我也理知地较为认识了“冬”。我知道“冬”毕竟是“冬”，摧残了许多嫩芽，在地面上造成恐怖；我又知道“冬”只不过是“冬”，北风和霜雪虽然凶猛，终不能永远的不过去。相反的，冬天的寒冷愈甚，就是冬的运命快要告终，“春”已在叩门。

“春”要来到的时候，一定先有“冬”。冷罢，更加冷罢，你这吓人的冬！

上海大年夜

在上海混了十多年，总没见识过阴历大年夜的上海风光。什么缘故，我自己也想不起来了；大概不外乎“天下雨”，“人懒”，“事忙”：这三桩。

去年，——民国二十二年，岁在癸酉，公历一千九百三十三年，恰逢到我“有闲”而又“天好”，而又是小病了一星期后想走动，于是在“大年夜”的前三天就时常说“今年一定要出去看看。”

天气是上好的。自从十八日（当然是废历）夜里落过几点雨，一直就晴了下来。是所谓“废历”的十八日，我担保不会弄错。因为就在这一天，我到一个亲戚家里去“吃年夜饭。”这天很暖和，我料不到亲戚家里还开着“水汀”，毫无准备的就去了，结果是脱下皮袍尚且满头大汗。当时有一位乡亲对我说：“天气太暖和了，冬行春令，——春令！总得下一场腊雪才好！”

似乎天从人愿，第二天当真冷了些。可是这以后，每天一个好太阳把这“上海市”晒得一天暖似一天；到废历的“大年夜”的“前夕”简直是“上坟时节”的气候了。

而这几天里，公债库券的市价也在天天涨上去，正和寒暑表的水银柱一般。

“大年夜”那天的上午，听得生意场中一个朋友说“南京路的商店，至少有四五十家过不了年关，单是房租，就欠了半年多，房东方面要求巡捕房发封，还没解决。”

“这就是报纸上常见的所谓‘市面衰落’那一句话的实例么”？我心里这样想。然而翻开“停刊期内”各报的“号外”来看，只有满幅的电影院大广告搜尽了所有的夸大，刺激，诱惑的字眼在那里斗法。

从前见过店铺倒闭的景象也在我眼前闪了一闪。肩挨著肩的商店的行列中忽然有一家紧闭著栅门，就像那多眼的大街上瞎了一只眼；小红纸写着八个字的，是“清理账目，暂停营业；”密密麻麻横七竖八贴满了的，是客户的“飞票；”而最最触目的是地方官厅的封条，—— 一个很大的横十字。

难道繁华的南京路上就将出现四五十只这么怪相的瞎眼？于是我更加觉得应该去看看“大年夜”的上海。

晚上九点钟，我们一行五个人出发了。天气可真是“理想的”。虽然天快黑的时候落过几点牛毛雨，此时可就连风也没有，不怕冷的人简直可以穿夹。

刚刚走出弄堂门，三四辆人力车就包围了来，每个车夫都像老主顾似的把车杠一放，拍了拍车上坐垫，乱嚷着“这里来呀!”我们倒犹豫起来了。我们本来不打算坐人力车。可是人力车的后备队又早闻声来了。又是三四辆飞到了我们跟前，而且似乎每一个暗角里都有人力车埋伏着，都在急急出动了。人力车的圆阵老老实实将我们一行五个包围了!

“先坐了黄包车，穿过××街，到××路口再坐电车，怎样?”

我向同伴们提议了。

“××路口么?一只八开!”车夫之一说。

“两佰钱!”我们一面说，一面准备“突围。”

“一只八开!年三十，马马虎虎罢。”

这是所谓“情商”的口吻了。而且双方的距离不过三四个铜子。于是在双方的“马马虎虎”的声音中，坐的坐上，拉的也就开步。

拉我的那个车夫例外地不是江北口音。他一面跑，一面说道：

“年景不好……往年的大年夜，你要雇车也雇不到。……那里会像今年那样转湾角上总有几部空车子等生意呢。”

说着就到了个转角，我留神细看，固然有几辆空车子，车夫们都伸长了“觅食”的颈脖。

“往年年底一天做多少生意?”我大声问了。其实我很不必大声。因为这条××街的进口冷静静的并没为的是“大年夜”而特别热闹。

“哦——打仗的上一年么？随便拉拉，也有个块把钱进账……”

“那么，今年呢?”

“运气好，还有块把钱；不好，五六毛。……五六毛钱，派什么用场？……你看，年底了，洋价倒长到二千八百呀!”

“哦——”我应了这么一声，眼看着路旁的一家烟兑店，心里却想起邻舍的×太太来了。这位太太万事都精明，一个月前，洋价二千七的时候，她就兑进了大批的铜子，因为经验告诉她，每逢年底，洋价一定要缩；可是今年她这小小的“投机事业”失败了，今天早上我还听得她在那里骂烟兑店“混账。”

“年景不好!”拉我的车夫又叹气似的说：“一天拉五六毛，净剩下来一双空手，过年东西只好一点也不买。……不像是过年了!”

××路已经在前面了。我们一行五人的当先第一辆车子已经停下来了。我付钱的时候，留神看了拉我那车夫一眼。他是二十多岁精壮的小伙子，并不是那些拉不动的“老枪”，然而他在这年底一天也只拉得五六毛钱么?

站在××路口，我又回望那短短的××街。一家剃头店似乎生意还好。我立刻想到我已经有二十多天没曾理发。可是我的眼光随即被剃头店间壁的南货店吸住了。天哪，“大年夜”南货店不出生意，真怪！然而也不足怪。像这样小小的南货店，自然只能伺候中下级社会的主顾，可是刚才拉我的车夫不是说“过年东西只好一点也不买”么?

“总而言之，××街里没有大年夜”。

坐在电车里，我这样想。同时我又盼望“大年夜”是在南京路，福州路一带。

十字路口，电车停住了。交通灯的红光射在我们脸上。这里不是站头，然而电车例外的停得很长久。

“一部汽车，两部汽车，……电车，……三部汽车，四部，五部……”

我身边的两个孩子，脸贴在车窗玻璃上，这样数着横在前面的马路上经过的车辆。

我也转脸望著窗外，然而交通灯光转了绿色，我们坐的电车动了。啵！啵！从我们的电车身边有一辆汽车“突进”了，接着又是一辆，接着是一串，威风凛凛地追逐前进，我们的电车落后了。我凝眸远眺。前面半空中是三公司大厦高塔上的霓红电光，是戳破了黑暗天空的三个尖角，而那长蛇形的汽车阵，正向那尖角里钻。

然而这样的景象只保留了一刹那。三公司大厦渐曳渐近了。血管一样的霓红电管把那庞大建筑的轮廓描画出来了。

“你数清么?几部?”

孩子的声音在我耳边响了起来。这不是问我，然而我转眼看着这两个争论中的孩子了。忽然有一条原则被我发见了：今夜所见坐车的人好像只有两个阶级，不是挤在电车或公共汽车里，就是舒舒服服坐了黑牌或白牌的汽车，很少人力车！也许不独今夜如此罢?在“车”字门中，这个中间的小布尔亚气味的人力车的命运大概是没落!

我们在南京路浙江路口下了电车。

于是在“水门汀”上，红色的自来水龙头旁边，我们开了小小的会议。

“到那里去好?四马路怎样?”

这是两位太太的提议。她们要到四马路的目的是看野鸡；因为好像听得一位老上海说过，“大年夜”里，妓女们都装扮了陈列在马路口。至于四马路之必有野鸡，而且其数很多，却是太太们从小在乡下听熟了的。

可是两个孩子却坚持要去看电影。

这当儿，我的一票可以决定局势。我主张先看电影后看野鸡。因为电影院“大年夜”最后一次的开映是十一点钟。看过了电影大概四马路之类还有野鸡。

于是我们就走贵州路，打算到新光大戏院去。

我不能不说所谓“大年夜”者也许就在这条短短的狭狭的贵州路上；而且以后觉得确是在这里。人是拥挤的，有戴了鸭舌头帽子的男人，更有许多穿着绯色的廉价人造丝织品的年青女子；也有汽车开过，慢慢地爬似的，啵啵地好像哀求。两个孩子拖着我快跑，（恐怕赶不上影戏），可是两位太太只在后边叫“慢走”。原来她们发见了这条路上走的或是站着的浓妆年青女子就是野鸡。

也许是的。因为鸭舌头帽子的男人掷了许多的“掼炮”，拍拍拍地都在那些浓妆的青年女子的脚边响出来，而她们并不生气。不但不生气，还是欢迎的。“愈响愈发”：是她们的迷信。

我们终于到了新光大戏院的门口。上一场还没散，戏院门里门外挤满了人。

而且这些人大都手里有票子。

两位太太站在马路旁边望着那戏院门口绉眉头。就是那勇敢的男孩子，（他在学校里“打强盗山”是出名勇敢的，）也把疑问的眼光看着我的面孔。

“就近还有几家影戏院，也许不很挤”。

我这样说着，征求伙伴们的同意。

但是假使片子不好呢？大些的孩子，一个很像大人的女孩子，眼光里有了这样的迟疑。“不管它！反正我们是来趁热闹的。借电影院坐坐，混到一点多钟，好到泥城桥一带去看兜喜神方的时髦女人”。

又是我的意见。然而两个孩子大大反对。不过这一回，他们是少数了，而且他们又怕多延捱了时间，“两头勿着实”，于是只好跟着我走。

到了北京大戏院。照样密密的人层。而且似乎比新光大戏院的现象更加汹汹然可畏。转到那新开幕的金城。隔着马路一望，我们中间那位男孩子先叫起“好了”来了。走到戏院门口，我们都忍不住一股的高兴。这戏院还是“平时状态”。但是，一问，可糟了！原来这金城大戏院没有“大年夜”的，夜戏就只九点半那一场，此时已经闭幕。

看表上是十一钟差十分。

“到那里去好呢”？——大家脸上又是这个问号了。也许新光今夜最后一场是十一点半开映罢？那么，还赶得及。新光近！

真不知道那时候为什么定要看影戏。孩子们是当真要看的，而我们三个大人呢，还是想借此混过一两个钟点，预备看看“大年夜”的上海后半夜的风光罢哩。

然而又到了新光了。十一点正，前场还没散，门里门外依然挤满了人，也许多了些。这次我们是奋勇进攻了。五个人是一个长蛇阵。好容易挤了进去，望得见卖票处了，忽然又有些绅士太太们却往外边挤；一面喊道：“票子卖完了。卖完了！”我疑心这是骗人的。为什么戏院当局不挂“客满”的牌子？我不能再“绅士气”了。我挤开了几位拦路的时髦女郎，直到卖票处前面，我们的长蛇阵也中断了。卖票员只对我摇手。

好容易又挤了出来，到得马路上时，我忍不住叹口气说：

“虽然‘大年夜’不在××街的小小南货店里，可确是在每家影戏院里！”

以后我们的行程是四马路了。意外地不是“大年夜”样的。也没看见多少艳妆的野鸡之类。“掼炮”声音更少。

两个孩子是非常扫兴了。于是“打吗啡针”：每人三个气球。

我们最后的希望是看看南京路上有没有封皮的怪相“瞎眼睛。”

然而也没有。

十二点光景挤进了南京路的红庙。这是我的主张。可是逛过了浴佛节的静安寺的两个孩子大大不满意。“没有静安寺那样大”，是他们的批评。他们怎么会知道我是出来找“大年夜”的，而“大年夜”确也是在这座庙里！

后来我知道过不了年关的商店有五百多家。债权人请法院去封门。要是一封，那未免有碍“大上海”的观瞻，所以法院倒做了和事老。然而调解也等不及，干脆关上大门贴出“清理账目”的铺子也就有二百几十家了。南京路上有一家六十多年的老店也是其中之一。

“你猜猜。南京路的铺子有几家是赚钱的？——哈哈，说是只有两家半！那家是两三阳南货店和五芳斋糕团点心店。那半家呢，听说是冠生园。”

回家的路上碰见一位乡亲，他这样对我说。

乡亲这番话，我怎么能够不相信？并且我敢断定复杂的“大上海”市面无论怎样“不景气”，可有几项生意是不受影响的，例如我们刚去随喜了来的红庙。并且我又确实知道沪西某大佛寺的大小厅堂乃至“方丈室”早已被施主们排日定完；这半年里头，想在那大佛寺里“做道场”，简直非有大面子不行的！

到家的时候，里内一个广东人家正放鞭炮，那是很长的一串，挑在竹竿上。我们站在里门口看去，只见一条火龙，渐缩渐短。等放过了我们走进去，依旧是冷清清的弄堂，不过满地碎红，堆得有寸许厚。

（一九三四年，二月二十八日。）

速　写

房舱里只有一位客人坐在近窗口的藤椅子里，左臂搁在那张圆桌子的边上，右手叉在腰部，别转了头，看不见他的脸。

“还好！这里有空——”

站在房舱门口的金百顺喜冲冲地对他的同伴说。但立即他的眉头一皱，已经跨出去的右脚又收了回来。他的同伴胡广生探头望了一下，也就对金百顺呶呶嘴巴，似乎说：“走罢！何必进去呢！”但委实前面客舱里挤得太利害，所以这两位旋一转身后，却又并不走，只是懊恼地站在那房舱门口挤眉弄眼。

房舱里那位客人这时也回过脸来了。是二十多岁胖胖的一个青年。穿一身灰布的中山装——也可以说是军服。左胸的小口袋上钉着一块长方形的景泰蓝证章，花花绿绿地看不清那上面有什么字。他身旁的一张藤椅子里放着一件黑呢大衣，老大厚的海虎绒里子翻出在外面；

另一张椅子里摆着一条“武装带”，一顶军帽压在那带子上。

这一切“行头”，说明了这位俨然独坐的“客人”，正是不折不扣的“武装同志”；然而他那张圆胖胖的脸儿却很光滑白皙，他那朝后梳的一头长发也是油亮晶晶，看样子是常搽司丹康。那胖胖的圆脸呢，委实是一张平常的圆脸，但不知怎地，叫人看了却像是心窝里撒上一把盐似的十二分不舒服；再加上他那一套“行头”以及戏台上武生模样手叉了腰坐着的姿势，就使得这一间还有五个空座位的房舱充满了异样的气味，咄咄逼人地拒绝了一应旅客进去。

弄不到方寸之地来挨一下屁股的金百顺和胡广生两位，因此就只在房舱门外打旋，不愿意且亦有些不敢冒昧去打破那房舱里的独裁的局面。

忽然有一个人从船梢上挤过来，左臂上挂着一件夹长衫，看见了金百顺他们两位，就招呼道：

“百顺兄，上海来么？——哦，广生兄是同来的罢？咳，东洋人已经停战，上海市面总该好一点；百顺兄，你们号里的事情讲得怎样了？”

“呀，元昌兄么？——停战是停了，市面仍旧清淡。上海市商会要开市，各马路商界联合会不肯开，中国人自己又撇僵了！”

胡广生抢先回答。他一边说，一边侧着身体让那位提著乌黑的开水吊子的船上茶房走过去。那茶房是老资格的沙眼，眼球上全是红丝，不见一点白，一边走，一边扯起衣角在那里擦。

金百顺轻轻叹一口气，又摇一下头，这才慢慢地说：

“白跑一趟，号里的事情一点头绪也没有。几十年老交易的慎大钱庄也不肯通融半个钱！说是还没正式开市，只做同业划账——”

“呵，呵，真是——难！不过，百顺兄，你，怕没有办法么！你和我们不同。要是你也兜不转，我们只好讨饭了！喂，广生兄，你说我这话对不对？”

胡广生不回答，却向元昌丢了个眼色，意思是不要他多说话。金百顺只是摇头苦笑。

此时那位老沙眼的茶房又挤回来了；他仍旧用那把烟煤薰得乌黑的开水吊子在前开路，一面喊道：

“客人！让开些呀！房舱里空得很！”

元昌本来是背向着那房舱，经那茶役这么一声喊，他就倒退一步，身体已在房舱内了；他又很热心地招呼胡广生他们进去：

“这里说话方便。”

“茶房！”

蓦地从元昌背后飞出这一声叫怒来。元昌急忙转过身去一看，只见一张油亮晶晶的圆脸上射出两道吃人似的凶光，霍霍地在房舱中间横扫；圆脸下是挺得笔直的胸脯，景泰蓝的证章在太阳的斜射光线下闪放光彩。元昌虽然是近视眼，却也看明白这位圆脸朋友是什么路数了，心里正在没有主意，恰好那老沙眼的茶房跑了进来，半睁开他的红眼睛问道：

“先生，要什么?”

“谁叫你放闲人进来，混账!”

圆脸人咬紧了牙根，恶狠狠地说。

“先生，你是包房舱么?——没有包定，这里照规矩要坐六个客人呀。”

“不要紧，我们出去罢!”

金百顺看见情形不对，赶快出来转圜，然而已经迟了，拍的一声，茶房的脸上挨着结实的一掌了，同时那圆脸人又抓起了他那顶军帽一挥，——似乎叫人注意他的特权，一面就破口大骂：

“混账东西！打你这不开眼的乌龟!”

“你有本事，去打东洋人!”

茶房睁大了他的红眼睛回骂。也许“东洋人”三字确有意想不到的效力，那圆脸人忙了一下，他那只正要打出来的手不知不觉放了下来；可是因为眼前倒底并没半个“东洋人”而只是一个苦茶房和一些怕事的小商人，他那股威风就又特别旺盛了，他抢前一步，正想抓住那茶房的衣领，猛不防那茶房身体一矮，一头撞去，圆脸人站不住脚，一个踉跄，就跌在一张藤椅子里了。

藤椅子本来是旧家伙，骤然受了重压，就格支格支地作响，应和着圆脸人的喘息。

“好呀！打得好！”

“这种货色，真是饭桶，怎么敢同东洋人打仗！”

拥挤在房舱外看望的一班旅客们嘈杂地叫喊起来；也有几个老成特重的人恐怕乱子闹大，就在那里轻轻喝道：

“这个凶神恶煞，惹他干么！红眼睛茶房，还不乘早溜走，等什么！”

此时船上的账房也来了，满脸慌张，跑到圆脸人跟前陪小心说：

“先生对不住！红眼睛茶房本来就疯头疯脑，一个傻子，不要去理他！先生，有话对我说。我，我是账房。先生要包这舱么？可以，可以！请问先生到那里去？有公事么？”

圆脸人两手按在藤椅子的靠臂上，仰起了脸只是冷笑。他那本来已是灰白的脸，此时因为有人来陪话，就又威风凛凛地放出红光来了。一会儿，他冷冷地说：

“你就是账房么？正要找你说话。”

“是，是，请你吩咐罢”。

圆脸人却没说，用手到口袋里去摸出了一个信封来，丢在那账房手里，便又仰起了脸，摆出“大好老”的气概，——却又好像要暗示他的“非常身分”给一班旅客们看，他就故意连声冷笑。

账房抽出那封套里的“公文”来看时，手也有点抖了；但是他看了半晌以后，忽然嘴角上也露出一丝冷笑。原来那“公文”是这么几句话：

“某某系本司令部无线电台发报生，兹派往某处公干，为此令仰沿途车船各局，不得留难——”

将公文还给圆脸人，账房的口气就变了；他淡淡地问道：

“先生，你没有买票么？——没有买？就算了罢，大家马马虎虎。”

这么说了，那账房旋转屁股就走，还对那些挤在房舱外的旅客们使个眼色，翘起了大拇指朝身后指一下，两片嘴唇歪了一歪。

灰色人生

因为失眠，便看书。随便捞起一本书来看，目的在驱走“失眠”这恶魔。

到手上一翻开来时，才知道是 Marin Fell 翻译的柴霍甫戏曲第一册，第一篇就是有名的《万霞舅父》（Uncle Vanya）。呀！这描写“灰色人生”的剧本！记起来了，大约是一九二〇年罢，买到这本英译的柴霍甫戏曲集时，读过这篇《万霞舅父》。剧情是很简单的，我现在还没忘记。《万霞舅父》和《三姊妹》（The Three Sisters）同是柴霍甫的描写“灰色人生”的作品。

失眠时候总不免神经兴奋。我从《万霞舅父》的剧情便联想到《三姊妹》的内容。同时我机械地撩开了那柴霍甫戏曲集第一册，随手抓起那第二册来，一翻就翻到那排在末尾第二的《三姊妹》。我正翻著了那可怜的玛泻（《三姊妹》中的一个女主角）和她的没良心的情人作送别时的拥抱而被自己丈夫撞见了那一段紧张的描写。我就读下去。……然而“失眠”这恶魔还不肯走。我第三次从灰尘满积的书架上抽一本书。这次是爱尔兰女作家葛雷古里（Lady Augusta Gregory）的剧本集了。我一页一页地翻著，终于我的走马似的眼光停留在一处。这是《孤老院收容室》（The Workhouse Word），又是一篇“灰色人生”的描写。

呀！呀！灰色人生！曾有许多作家描写过各种各样的灰色人生！

医生说过，失眠的时候最好不要再打算睡觉，最好是起来做一点事。于是我既已用“灰色”的书来催眠而无效，我就起身来写一点“小品。”

柴霍甫和葛雷古里夫人对于人生的态度是不同的，虽然他们同取了灰色人生做题材。如果说柴霍甫是一个十足的悲观派，那么，葛雷古里夫人便十足的不是一个悲观派。可是同属柴霍甫的作品，《万霞舅父》和《三姊妹》又复不同。从“动作”方面说，似乎《三姊妹》比之《万霞舅父》更平凡更灰色了；《万霞舅父》里的三角恋爱几乎造成了悲剧，（幸而万霞的枪法不好，）但在《三姊妹》中玛泻的亲丈夫目击了玛泻的奸情时，却用他从学生那里没收来的假胡髭扮一个鬼脸就算了事了。平凡！这些可怜的灰色人便是在妒奸的紧张关头也多么平凡呵！然而从“人物”的心理描写上说，《三姊妹》的灰色的悲观后面却透露著想要动，想要振作的意识。

万霞舅父一怒于姊丈之打算卖却那庄子而敲碎他的饭碗，（他是替他姊丈经管那庄子因以糊口的，）再怒于发见了姊丈的新夫人原来是他从前爱而不得的，于是他开枪打他的姊丈了；可是一击不中以后，万霞仍是往日那样惫赖，再不能“奋发。”女主角莎尼耶（万霞的甥女）亦然。她眼看著自己的意中人被自己的后母所夺，只是眼泪往肚子里吞。她这失败者唯一的自己慰安是虔诚的宗教信仰：忍受完了现世的痛苦，然后死——永久的安息。在剧本结束时，她就这样向她的舅父说教了。所以在《万霞舅父》一剧中，我们看见了阴沉沉的乡庄里暂时起了恋爱，妒杀等等的风波，（这些是丑恶的，但至少可使人感得生存的意味罢？）然后爱人，所爱者，所恨者都一齐走了，万霞和莎尼耶所居的庄子里回复了向来的死寂麻木。

《三姊妹》一剧可就不同了。不但那玛泻（《三姊妹》中的二姊）常想打破“灰色生活”的空气，而不是神经麻木者之流，——她和中学教员的丈夫结婚时，觉得丈夫比她高明，可是后来她就看破了丈夫的庸碌而感得不满，而偷了汉子，而且她的所以肯和那小兵官的汉子通奸，又因为可怜那汉子只有个发疯的老婆，所以是一种慷慨的给与，是要从慷慨的给与中感得一点生存的意义的，——并且在该剧结尾，当她的奸情被丈夫撞见时，她又觉得要是丈夫打她那就多么好，那就至少可以感到些辣生生的“人间味”了。而且当她的情人去了，（随军出发，永不回来，）当她的丈夫只用他从学生那里没收来的假胡髭扮一个鬼脸就泰然接受了一顶绿头巾的时候，她，玛沔，却还有“勇气”喊道：“他们走了，永不回来，我们必须从头再做人哟！”这“灰色人”并不麻木的！

如果《万霞舅父》的结局不是莎尼耶的虔信著“死的安息，”而是她在又感得了死一般的寂寞时宁愿医生（莎尼耶的爱的对象）及后母（莎尼耶的情敌）都不走，而受失恋的痛苦；痛苦，至少可使人感得生存的意味，比麻木为佳，——那么，也就和《三姊妹》一样，或者更能使人玩味罢？

葛雷古里夫人的《孤老院收容室》就是这样的结意。这篇剧本的情节很简单：两个住在孤老院的穷老头子，同病不相怜，说不到三句话就要吵架；后来两人中之一将为有钱的亲戚接出去“享福”了，但他想到虽然“享福，”却是孤零零地怪寂寞，就觉得还是住在孤老院里和他同伴天天吵架更有趣味，他就拒绝了那亲戚的邀请。在这里，我们看见葛雷古里夫人用诙谐的笔调写“灰色生活，”一点没有悲观主义的色彩。她和柴霍甫是不同的。这两位作家的不同，也不是偶然的。因为柴霍甫生当十九世纪末尾的俄国的灰色时代，而葛雷古里夫人则正在所谓“爱尔兰的文艺复兴”时期。时代决定了这两位作家的对于人生的态度。但他们又有一点是共同的，即是只为了表面的灰色人生而没有找寻这灰色人生所以存在的原因。

暴露，并且攻击这灰色人生所以存在的原因，是必要的。因此，虽然《三姊妹》里的玛泻好像还有勇气打算“不灰色”地从新生活一下，虽然《孤老院收容室》那个穷老乞儿唾弃了孤寂的“享福生活”而宁愿在吵架中感得生存的意味，但《三姊妹》和《孤老院收容室》终于是“过去了”的作品。

（Mar，3，1933）

我不明白

不错，算起来就是二十年以前，也是这么暖洋洋醉迷迷的五月天，那时我在杭州某某中学校。那时候，毕业考试正逼到眉毛边。功课都结束了，“范围”也由教员暗示过了，我们一伙二十多人都是心头突突地好像有点儿高兴，又有点儿悲哀。朋友，你说那是“兴奋”么？可也不然！“兴奋”还在后边。真正的“兴奋”是在两星期的“预备时间”完了后“考试”的那几天。

在两星期的“预备时间”的头几天，我们当真是心头突突地不知道是高兴呢，抑是悲哀。至少我是这么真切地感得。

那时候，我们享有一种“特权,”——不用到自修室，只在宿舍里预备功课。我们躺在床上，捧着教科书看。单讲我那间寝室吧，定额六人只住了五个，其中三个是四年级的同学。隔壁那一号大些，光景住了十来位吧，可是五年生也只有三个。所以我们白天在宿舍里预备功课，当真是非常清静的。

我记得我那寝室的南窗口摆着一盆草兰。好像是同房的一位四年生买来的；很便宜，可是旺开著十几朵花。暖风轻轻地吹来，我躺在床上也嗅着那花香的；我便醉迷迷地只想睡觉。俄而隔壁房里的同学把教科书拍一下，忽然轻声儿唱起我们那时候风行的一只歌来。

这歌词，记不真了，大概是“描写”金丝边眼镜的女学生怎样在星期日逛西湖罢了；我们向来都会唱的。那时有人开头一唱，大家都把教科书拍一下，哈哈大笑起来。

到现在，相隔二十年了，我还听得那笑声历历如在耳边。

到现在，我还直感到那时候占据着我的心头像一团冷粽子似的有点高兴又有点悲哀的异感，好像我又回到了二十年前的我了！

这异样的心情，究竟是什么一种性质，我到现在还没明白；可是那经久不褪的强味，在我生涯中算是仅见。我的中学生生活共得四年，我换了三个中学校，我在杭州也有一年半，然而到现在还保留了当时那样强味的，却只有那毕业考试预备期间头几天这兰花香，这哈哈大笑，和这“回肠荡气”似的异感！为什么呢？我不明白。

并且到现在，每逢我静坐南窗，软风轻轻地吹着，油然而唤起了我这生活上最小的感情的泡沫时，我就同时觉得“创作欲,”在我心灵深处强烈地发动起来。这又是为什么呢？我还是不明白。

下　编

文学家可为而不可为

有两种人要做文学家。

一种是自命风雅的人，觉得政治是龌龊的，做生意是卑鄙的，而有涯之生恰值有闲之年，于是笑傲风月，寄感遣愁，做做文学家罢。这一类的清高文人，其实很少真能“清高”者；所谓身在山林，心萦魏阙的人，古来就很多，现在是更不用说了。

又一种是相反的。他们知道你不管政治，政治却要管你；他们知道在万般商品化的社会里，文学也有商品化的危险，而且已在逐渐商品化了；他们知道文学不是个人得意时作消遣失意时发牢骚的玩意儿，文学是表现时代，解释时代，而且推动时代的武器；他们要做文艺家，正因为关心着政治的腐败，社会的混乱，以及文学商品化的危险。

这两种人，是两种人生观，两种世界观。在现代中国，这两种人同时出现于文坛。而且在现代中国，因为政治的腐败，斗争的剧烈，所以这两种人的前者自然而然会成为保守派，成为现状维持者，成为麻醉剂，而后一种人就会走上了前进的路……。

然而文坛的现象还不是那么简单。介于上述的两种人——两种文学观之间，还有许多脸相，许多阶段。例如推崇文艺的神圣尊严独立，力斥那些把文学作为个人消遣发牢骚的观念，——所谓艺术至上主义者，就是新式的“清高”文人，他们客观上和旧式的“清高”文人就有“异曲同工”之妙。反之，戴着最最革命者的面具，对于现实的罪恶不发一弹，——或者只放几声空大炮，可是对于在文艺道上艰苦地挣扎觅路者却明枪暗箭，一齐都来，诸如此类的“战术，”也是新旧“清高”派所目逆而心许的。

“志在文学”的青年走进了这迷宫式的文坛，就不知如何是好了。是那么样盘旋曲折，到处有陷坑，滚板！于是不免要长叹一声道：文学家不可为也。

假使万幸而躲过滚板，跳过陷坑，居然摸上了到光明之路，那时候，文学家也许做成了，但是做人可就难了；小头目想收罗你为爪牙，贩子们想把你当作猪猡，于是乎你感到文学家的“不自由”了。

不过据说，立志要做文学家的青年还是很多。如果他们只知文学家可为而立此志，那实在太昧于时势，如果他们知其不可为而为之，那就可敬。这种人，在绝顶聪明者看来，就是傻瓜。绝顶聪明者看透了文学家不可为而仍可为；他们往往从左边走上了文坛就待价而沽，或者就从右边下去，把文坛当作功名利禄的垫脚板。在他们，做了文学家以后，做人就更加容易了！也就是这些绝顶聪明人使得现文坛幻出了种种眩目的花样色彩，叫初进文学界的青年傻瓜莫明其妙。

可是文坛的继续开展，却有赖于那些知其不可为而为之的傻瓜！

一个文学青年的梦

现在有许多青年“志在文艺”。主编一文艺刊物或青年刊物的先生们，常常会收到不相识的青年读者的来信，信的内容大概是这样的：

“我是二十岁的青年，受过中等教育，（或在高中读书，或在大学读书；）我不敢说对于文艺有研究，（或有文艺的天才），可是我很爱文艺，打算献身于文艺。因此请求先生指教我：怎样研究文艺？有什么文艺理论的书可以阅读？怎样写创作？要研究创作方法什么书可读？……”

另外一种“志在文艺”的青年又有另一样的说法——

“我是一个有志的青年，但是环境逼迫我为生活而奔走。我不得不抛弃了书本子，可是我的智识欲不肯屈伏于环境势力之下。况且我还想做一点有益于人类社会的事。我选定了文艺。我想借文艺来声诉社会的黑暗，人类的痛苦，传达自己的思想感情，描写未来的光明。可是我对于文艺是门外汉，要请先生指教我怎样可以达到目的：创作怎样写？那一类的创作是我们现在最需要的？……”

这两种青年对于文艺的“志，”显然不是同一出发点。前者是因为他“爱好”文艺罢了，而后者却为的有满脑袋的理想和满肚子的牢骚要发泄一下。向来就有人称这样的两种青年为“文学青年。”常言道“有志者事竟成，”他们自然是文坛的“后备军。”

后备军“自己训练”的第一步自然是写创作。写好了投到各种刊物上去。在这时候我们的文学青年就有了各种各样的“梦。”

我们现在单指出文学青年许多梦中最普遍的一个梦。

这梦的过程约略如下：

他的第一篇作品通常是个人经验的一断片，三分描写，七分叙述。题材正是所谓“身边琐事。”可是发表了。这在他是一种鼓励。因为他是“志在文学”他是虚心的，他要知道自己的缺点，他要求批评。自然不患不得批评。他知道自己的题材范围太狭小，自己的观察不深刻不锐敏。“我到底有没有创作天才呢？”——也许他这样天真地迫切地追问。回答是：无所谓天才不天才，只要你努力淬砺，便有进步。努力么？他是立志努力的。不过总得有方法。于是他又得到了回答：要有广博的生活经验，要有社会科学知识的基础。广博的生活经验么？他自问是有的。他已经不在学校读书，他奔走衣食，他在社会上混。他觉得肚子里的材料多得很。至于社会科学的基本知识，他可以看书。他是努力的。他在职业的余暇看书，并且创作。他写成了，他“改变”了作风。但是批评呢？使他倒抽一口冷气。可是也得了鼓励：不要灰心！他再写，他写了许多。但是他渐渐对于自己“怀疑。”他不是狂妄的人，他承认自己所写的东西不免浅薄幼稚。这样的作品，他不好意思拿出去见人。他一心想写成一篇“杰作，”精心结构的“杰作”！而这样的杰作自然需要长时间的静思默念，以及更长时间的写作改稿。然而他有职业，他的时间常苦不足。早上睡在床里闭著眼刚刚想得了一点“好意思，”——或者说灵机忽动，文思来了，可是已经七点钟，他不得不赶忙洗脸吃早饭，赶快到他衣食所依的办事地方去了。他有很多的材料，可是向来就没有足够的时间放手写来。到这时候他恍然“觉悟到”职业妨碍了他的创作。他是“志在文学”的，他不肯“自暴自弃，”于是他毅然丢掉了职业，租一个亭子楼，埋头疾书，想完成他“理想中”的杰作。十天，八天，一个月，两个月，他脱稿了。拿出去给人家看。脸上浮着谦逊的微笑，准备听取赞扬。他也听到赞扬了：那是赞他努力，赞他刻苦。可是作品怎样呢？人家绉了眉头，苦笑着说：“漏洞还是很多；人物像是纸剪的，故事先后不接笋，并且，并且，你的观察还是没有深入。毛病是浮浅粗糙！”于是我们的文学青年红涨了脸，心里非常难过，他挟着他的作品回去，躺在床上惜然若丧，他开始有点怀疑那批评家没有眼光，他愤恨不平。但是在他心深处却又有一个声音警告他道：“你这失败是必然的！因为在你写作的时候，你的心始终不安定。你惦念着房租，饭钱，你又为了许多琐屑事情分了心：你写得很起劲的时候，忽然烟卷儿没有了，茶壶里也干了，你就不得不放下笔，自己去泡开水，买香烟。等到烟茶全有了，你的‘灵感’早又逃走。并且前楼里的一对夫妻半夜三更吵架，客堂里的一家整天整夜打牌，你的眼看在稿纸上，你的耳朵却听着前楼和客堂，——你怎样能够安心静心创作?”这都是实情，我们的文学青年不能不承认。他觉得自己的作品即使当真不行，那过失都在“环境”，他没有那产生伟大作品的“环境！”他想起了伟大的托尔斯泰伯爵因为不愁衣食，有幽静的别墅，有美貌聪明的太太做伴，一篇作品横改竖改，不论几多次，总有太太的纤手给他誊抄，所以托尔斯泰的作品就不凡了；他又想起了许多别的大作家都是在名山胜水古刹高楼里悠闲地写作，白天骑马游泳，晚上喝了一杯浓浓的黑咖啡，衔着雪茄，美丽的女打字员坐在一旁，自己不用动手，只要一面踱着方步，一面念出来就行了。创作原是要在这样的“环境”下才能产生的呀！这样想着的时候，我们的文学青年倒又有点怡然自得起来了，至少他相信自己的失败“非战之罪”了：同时他就要“梦”一下：他很谦逊的，他只“梦”着忽然得了三五万的横财，（或者是什么拿干薪的美差，或者竟是什么文化机关预定了他的创作，按月致送丰厚的膏火）于是明窗净儿，爱人相伴，宁心静虑，一个字一个字慢慢地写。天哪！什么时候他这“梦”能成事实呢？他丢下笔，便诅咒那万恶的社会了。

这就是一个并不狂妄的文学青年的梦，我们也承认这样的梦算不得过分的奢望，但是很可惜，我们的文学青年竟忘记了高尔基的初期作品并不是坐在大洋房里桌子下面堆满了卢布很悠闲地像托尔斯泰伯爵那样地写；也许我们的文学青年看不起陀思妥以夫斯基，但是陀思妥以夫斯基的第一部作品也是肚子半饿时写的；还有巴尔札克他一生就只住了搁楼，吃着沙田鱼夹面包，一生被债务压着，可是他也写了他的《人生喜剧》。

所以我们的文学青年还是收拾了那样的“梦”而在“明窗净儿，爱人相伴”等等粉红色的条件以外去根究他失败的原因罢！

思想与经验

作家甲说道：写作品以前，先须想好了通篇所要表现的中心思想。“人物”不过是这些中心思想的留声机，扮演者。

作家乙反对，他说：先须有“人物，”——从现实社会里选出来的“典型”的人物，由这些“人物”的思想情感，构成了作品中的中心思想。

作家丙却提出第三种意见来：先须有“故事!”，一篇作品的“故事”本身就是一种思想，“才子佳人”的小说本就只有“才子佳人”的思想。所以先得找取最合适的故事，由故事创造人物。

批评家丁在旁边又摇着头地说：艺术者，形象的思索也。先有了形象而后思索，不是经过思索再去搜集形象的。我赞成乙先生。

批评家戊立刻反驳道：好好一句话，被你说成死板板的两橛；真是标准的机械论者呀！把“形象的思索”解释做什么先，什么后，真是妙不可言的“发见”了。

就使退一步照你所说，也不可通；因为一位作家在搜集材料时（你所谓搜集形象）也必须思索，同样地，他在思索时也必须对证着他所见的材料。

作家乙忽然笑了起来说：丁先生！你的恭维，我只好原封不动奉还你了。在我，观察和分析，经验和思索，是连环作用，我老实分不出那个在先，那个在后呀！因为人们的脑子虽然也可说是个机器，到底和铁铸的人造的机器不同；脑筋的活动可不是那样死板板的呀！

于是大家都哄然笑了。自然丁先生是例外。

这一席谈话，被一位青年偷听了去了。于是他就糊涂得不可开交。他最初听得了甲乙丙三位作家的话，觉得都不错。随后听得了批评家丁先生的什么形象什么思索，似懂非懂地，又佩服得了不得，觉得丁先生真真“博学”。最后又听了戊先生和乙先生的“异议，”再想想丁先生的“博学”论调，也忍不住暗笑。可是他依然不免于糊涂者：他想起了自己的“经验”来了。

他短短的生涯中，确也见过许多“形象”；他也曾尽可能地特地去搜集“形象。”然而他坐定了要“而后思索”的时候，他可窘了；他觉得那些“形象”乱纷纷地在他记忆上浮动，总找不出个线索。他死也猜不透 A 形象和 B 形象之间，有什么因果关系。他“思索”得头也痛了，于是又回忆到他和那些“形象”接触时的境况。他那时是敞开了感官的大门，“照单全收，”原封不动地藏着候用的。可是现在要拿出来用，却又感得无从措手足了。乙先生所谓“观察和分析，经验和思索，是连环作用,”在这位青年竟是陌生得很。

后来不知经过多少时候，这位青年心里的疑团，——或是说，他的困难，经人家一语指破，却原来简单得很：因为他缺乏社会科学的修养，所以原料来了只能生吞，不能消化。

后来又不知道经过多少时候，这位青年一天对他的朋友说道：

“我现在才知道似是而非的议论害人不浅。没有社会科学的基础，你就不知道怎样去思索；然而对于社会科学倘只一知半解，你就永远只能机械地——死板板地去思索；不会思索的人去‘搜集形象’只是盲子摸死蟹；不先有个见解去‘搜集形象’只是乡下人游大世界；有了正确的思想而没有丰富的生活经验，写不成好的作品；有了丰富生活的经验‘而后’去思索，譬之有了材料尚待开矿采铁打成刀斧；未曾下苦心思索过，而去‘搜集形象,’譬之身入宝山，不知道拿那一样好；思想和经验是交流作用，思想整理了经验，而经验充实了思想。到这境界，作品的内容方始成熟地产生!”

新，老？

某年某月某日，文坛上出现了流行语：新作家，老作家。

区别的标准据说是这样：

动手写作品是在几年前的，发表过半打以上的作品，出过几本单行本的，是为“老作家”。反之，名字出现在文坛上还不过一年光景，（这可并无成案可查，姑且乱说是一年罢，）尚未有单行本集子的，是为新作家。

这个说法，也许不独咱们中国的“文坛”为然，别国亦复如此，所以大可不加挑剔。

至于隐隐然指“老作家”为老练成熟的作手，而“新作家”是幼稚的作手，从时间性的区别转到质的区别，那可已是曲解，其发源也，大概不外乎书店的广告，自当别论。

在这里，我们试给这两个名词下一个新的解释。

先立一义罢：老作家是不应该有的，或是最好没有他。

为什么呢？因为有了这名词，无非给书店老板添加广告上的资料；老板不但从书本上赚钱，还从称呼上赚钱，真是太那个了。

倘使觉得这话太“幽默，”那么说正经话，一个作家应该时时是“新”作家。他写了第一篇作品的时候，固然是“新，”——里里外外都“新；”可是当他写了第二篇作品的时候，假使用的是不同的题材，观察的是不同的眼光，那么，他这名儿虽然在别人看来不新，而在他自己的创作过程上却是全新的一段；做第二篇作品的他并非是第一篇时的他了，是另一人了，是一个“新”作家。推而至于第三第四，乃至无穷篇，乃至他“著作等身，”须发苍白，只要他是永远不固定在一点，他的某一篇作品都是一种新的努力新的试探，那他就永远是“新作家。”

真正可称为“老作家”者，是那些写了一篇又一篇，题材同，见解同，笔法同，老是那样一个模子里倾出来的“开国纪念币”式的作家。这样的作家即使在文坛上出现不过一个月，所作不过三四篇，可是已经很配称为“老作家”了。倘使他一直“发展”下去都是那些“开国纪念币，”那他就是天生成的“老作家！”所谓“生而即老”者！

文坛上充满了这样的“老作家，”这文坛也就是个

“老坛”了。

在一个充满着前进的活力的文坛，所有的优秀作家应该全是“新”的，而且永远是“新”的！他们的思想跟着时代走，他们时时摄取新的人生来描写，他们每一篇作品开始写的时候是一个“新人，”每一篇作品给他一种“新”的创作经验。

让我们把“老作家”看成一个“不祥”的名词罢！

让我们把那些今日刚发表了“处女作”然而甚么“新”的都不给我们，却只因袭着前人的窝臼的作家们，也看作“老作家”罢！

让我们来喊一声：“新作家”万岁！

论“入迷”

有多种多样的“入迷。”

吉诃德先生看武侠小说把一份家产几乎看光，还嫌不够，还要出去行侠，终于把一条老命也赔上。这是“入迷”的一种。

红楼梦上香菱学诗，弄得茶饭无心，梦里也做诗。这也是“入迷。”但据说香菱居然把诗做好了。

乡间有伧夫读《封神榜》，搔头抓耳，心花大放，忽开窗俯瞩，窗下停有馄饨担，开了锅盖，热气蓬蓬直上；伧夫见了，遽大叫道：“吾神驾祥云去也!”跨窗而出，把馄饨担踹翻了。这又是一种的“入迷”，然而程度远在吉诃德先生之下。

吉诃德先生的“入迷”，结果是悲剧。乡间伧夫的“入迷”，结果是喜剧。香菱的“入迷”，结果不悲不喜，只成了一篇平凡的故事。

就“入迷”而论，吉诃德先生实在是伟大的；你看他始终不动摇。乡间伧夫那一幕喜剧，叫做一时发昏，也许他赔偿了馄饨担以后就发誓不再看《封神榜》了。但当他高叫“吾神驾祥云去也”，而且撩衣跳窗的时候，他那态度倒也是“严肃”的，他确实“走进了《封神榜》”，不自知其非书中人了！至于香菱，她茶饭无心地读杜工部温飞卿的时候，她唯一目的是自己也做个诗人。使她着了“迷”的，不是杜工部他们的作品，而是她自己想做诗人这一念的“虚荣”。故就“入迷”而论，香菱的，便是最下乘！

有些人一拿起小说来读，便在心里说：“小说家言，岂能当真。”于是他带着怀疑的微笑，被动地看下去了。有些人进了戏园，就自己提醒自己道：“这是做戏呀！”于是他让戏拉着，坐到终场。他们自视为绝顶聪明的人，视吉诃德先生为天字第一号笨伯。可是我们说，真正含有严肃的人生意义的小说或戏曲，原来不是给此等人看的！此等人看小说进戏园只是糟塌时间罢了！读小说或观剧，一定得有几分“入迷，”——就是走入作品中，和书中人一同笑一同哭，这才算不负那小说或戏曲，而小说或戏曲也没有白糟塌了他的光阴。

一位作家写作品的时候，也非“入迷”不可。他的感情要和他笔下人物的感情合一。他写的人物不止一个，然而他所憧憬的，或拈出来使人景仰或认识的人物，却只有一个或一群；作家就要恨此人物所憎恨的对象，拥护此人物所拥护的一切！作家必须自己先这么“入迷”，然后可望读者也“入迷”。然后他的作品不是消遣品，他的力气不算白费。一个演员在舞台上假使存了“我是在做戏”的念头，他的戏一定做不好。

现在常听得人说：“多读杰作，学取技巧。”这话是不错的，但假使像香菱似的一面读杰作，一面心里想：“我读完了这些，我就是文学家了。”那他还是白读。他读杰作的时候，应当毫无杂念，应该只是走进书去，笑时就笑，哭时就哭，——他应该“入迷”！所谓技巧的学得这一步，是在他几次“入迷”以后自然而然的结果。他把杰作咀嚼消化，成为他自己的力量了。倘使他读杰作的时候心里总惦记着“快学技巧呀！”他在杰作的字里行间时时都发生“这是不是技巧”的问号，那他决学不到什么技巧。要是他自以为“学到”了一点什么，那也不是真正的学到，而是生吞活剥的模仿，甚至是剽窃！

归根一句话，人与文学的关系，“入迷”是必要的！

花与叶

看了《中国电影艺人访问记》第二十六，（这是访问《铁板红泪录》导演洪深先生的），稍稍明白了当代前进的“电影艺人”正有一个急待解决的问题——即“花与叶”的问题。《访问记》中借了“友人某君”的嘴巴说：

“……所以我总这样想，我画了这朵花，我自己以为很像了，我的个性也表现出来了，可是别人说还得加几笔叶子，而我却不想加上，去因为我以为这是没有必要的。”

这是一个主张：不要叶。被访问的洪深先生以为“我们的作品就是太少了叶子”。这是倾向于“要叶”的。而《访问记》的作者沙基先生的意见则是“折中”的。他说：

“不消说我并非同意以无谓的噱头来趣味化，可是技术上生动化的成就，仍是非常必要的。至于因太顾全生动以致毒害主题，那自然是再愚笨不过的事了。然而在花之外多加上两笔绿叶，使真实生动化而更加真实起来，这便是艺术的真价。”

“花与叶”这一问题概要具如此。本来中国有句老古话：牡丹虽好，全仗绿叶扶持。光是一朵牡丹花，并不好看，必待带叶，然后完成了牡丹之美。所以“叶子”在这里并不是帮衬，而是完成“牡丹之美”的必要条件。花与叶是对立的，相成的，而不是一个为主体，一个为附属。

艺术上的“花与叶”的问题，也应该如此去理解。问题不在“要不要加几笔叶子”或“多加上两笔叶子”，问题是在那些叶子画得对不对。倘使一朵牡丹花旁边加上了菊花的叶子，弄得既不像牡丹，又不像菊花，这才真真是“没有必要的”。

如果花是牡丹花，叶也确是牡丹叶，那么，即使叶子太多了些，也不至于“毒害主题”。因为一朵牡丹两张叶固然是牡丹，四五张乃至七八张叶，也仍然是牡丹，不会变做了芍药的。“叶子”而至于“毒害”了花（主题），一定是这些“叶子”和“花”本非同类。所以文艺上的“花叶问题”，第一要认明花与叶是相需相成的，叶子不处于帮衬的地位；第二要注意是否配错了叶子。质诸洪深先生等三位，以为何如？

“蚂蚁爬石像”

雕刻家造了一尊大理石的女像，陈列在展览会中，人们见了，都说道：“美啊！维娜斯到了人世”！

不论男女老少，“雅人”或“俗人”，远远地望见了这大理石的女像，就会被它吸引，站在它面前，欣赏赞美，舍不得走。他们忘记了这是一块没有灵性的顽石，也忘记了它是一件艺术品，他们只觉得天地间如果有所谓“美”，那么，这便是。

然而同时有两只蚂蚁从这女像的身上爬过，它们的感想却和人们大异。蚂蚁们只觉得自己是在爬石头。光滑滑，冷冰冰的石头。人们赞叹那女像胸前的曲线美有温和软柔之感，蚂蚁们却只觉得这里忽然高起，爬时更加费力而已。在蚂蚁的眼中，只是高低不平的石路而已，全无所谓“美”。

自然，人是人，蚂蚁是蚂蚁；可是我们也不能太冤枉了蚂蚁。假使我们人变得蚂蚁那么小，我们也要觉得这美丽的女像只是一座童童的石山了。我们人，看见石像的全体，而蚂蚁只能看见石像的部分，这是我们人和蚂蚁不同的地方。由此也就产生了各异的经验。能见全体的，就感得这是"美"，只见了部分的，就以为这是平常的石头，亦惟能见全体者为能认识客观的真实。

我们人在社会中生活，我们人是渺小的，而社会是庞大复杂的；倘使我们也像蚂蚁似的只看见了社会生活的一部分而遽下断语，那我们也就成了爬石像的可怜的蚂蚁。

现在不是全世界闹着所谓"不景气"么；但是也有部分的工业很"景气"，例如军事工业。现在不是大家说中国工业衰落么？但也有几项工业是例外，例如烟草工业还能赚钱，据说华成烟公司股票涨上三倍。要是我们只看见军事工业的"景气"，只见中国烟草公司的发达，而遂谓世界已经转为"景气"，中国工业正在勃兴，——那我们就犯了"蚂蚁的错误"了；只见部分，不见全体。

文艺作品是要反映"真实的人生的"。然而一篇文艺作品只能把片段的人生描写了进去。这片段的"人生"或者代表了"全体"，那就是社会生活全体的缩影；这样的作品就可说是"真实人生"的反映。或者只是代表了"部分"，譬如以烟草公司的发达为题材写一部小说，这当然是社会上一件"实事"，然而可惜这只是"部分"的现象，不能视为工业界全般的状况，从这小说里，读者不能认识全般的社会现象，这样的作品因而也就不合于“客观的真实”，不是真实人生的反映。但假使一位作者以烟草工业的发达为“经”，而以一般工业的衰落为“纬”，交织出现代中国产业界畸形的啼笑史，那我们的观感就不同了，我们要说这是真实人生的反映了。为什么呢？因为作者是看见了“全体”的。因为他所写的主要题材即使只是部分的现象，然而他说明了全体。

莫泊桑借《一生》中女主人公的嘴巴说：“人生不是我们所想像的那般好，也不是像我们所想像的那般坏”。《一生》的女主人公在尝遍生活的甜酸苦辣以后，悟得了这样的“人生哲理”。也就是作者莫泊桑在某一时间对于人生的认识。这位悲观的大作家通常是只看见人生的“丑恶面”的，他说这话的时候，虽已承认人生尚有“光明面”的存在，可是他还没有见过。他对于人生的将来，没有信仰。

悲观的大作家还有一个契可夫。剧本《三姊妹》和《万霞舅父》也是“灰色人生”的写照，契可夫借女主角玛沔的嘴巴喊道：“他们走了，永不回来，我们必须从头再做人哟”！和莫泊桑有点不同，契可夫信仰人生的将来，不过他把这“希望”放在辽远的将来。有人将契可夫的作品比喻作冬天早晨的冷雾；是凄惨的，凛冽的，灰色的，然而却又教人想到跟着在后面来的却是融融的太阳。这个批评，也许是过分的回护，但是契可夫的"不肯绝望"却在他的作品中时时看得出来。

安特莱夫可就完全不同了。如果我们说契可夫的"希望"不过是空虚的自慰，而且他这自慰之所以空虚微弱就因为他未尝看见人生的全面，那么，安特莱夫是连那样"辽远的希望"都不愿意有，连看一看人生全面的意思都不肯有的！契可夫在人生中看见了灰色的丑恶的一面，他描写这些灰色的，丑恶的，然而他竭力想暗示读者道："朋友，这是现在，至于将来，那总该不同了罢"？安特莱夫则不然。他描写了丑恶的，甚至于狰狞的，他用了确信的态度狞笑着说："人啊！这就是生活！现在如此，将来也许还要坏"！他的《人之一生》就"说明"了人生终究是虚空，人的一切努力都是毫无意义的。在剧本《到星中》，他甚至于宣传了"宇宙的虚无主义"了。有人说看了安特莱夫的作品就好比揭开了地窖子的门，只觉得冷气直冲，——这话，不是冤枉他的。

旧俄的作家中还有一位蒲雷苏夫，也是所谓"恐怖的描写者"。他的小说《南极共和国》，"神经衰弱者读了，是会发狂的"。这是一篇"想像"小说，略谓南极地方有一资本主义高度发达的共和国，一向是"繁荣"到极点；忽然这国家的"神经中枢"——京城，发生了一种怪病，"矛盾病"，于是恐怖袭来，维持秩序的警察见了人就杀，幼稚园的保姆扼死了小孩，铁路工人把列车互冲，……这“矛盾病”很快地传染开来，于是“文明”立时毁灭。自然，蒲雷苏夫是要借这小说来“预言”资本主义的命运的，可是他只看见了资本主义内部的“矛盾”而不见资本主义老壳里爆发出来的新势力，所以他的“预言”只成为怪诞的谰言。

从莫伯桑到蒲雷苏夫，他们四位作家对于人生的看法并不一样，但有一点是相同的；他们对于人生的经验只是蚂蚁爬石像似的经验。他们没有看见人生的“全面”。而他们的时代又是所谓黑暗混乱的“世纪末”，他们所见的多属丑恶，他们误以为这是“全体”了。

人生中无论某一时期，大抵是光明与黑暗交织着的；执一点而哗然争辩，或以为全明，或以为全暗，从而无条件地乐观或悲观，都未免是爬石像的蚂蚁的见识。

但是像莫泊桑那样的调和论——“人生不是我们所想像的那般好，也不是我们所想像的那般坏”，即使会引出“光明与黑暗永久交织着”的结论，那也要陷于迷惘的。所以莫泊桑终至于自杀！

现在，光明与黑暗的交错，也许比什么时代都明显些罢？倘使一个人不犯“蚂蚁爬石像”的错误感觉，总不至于无端悲观。但这自然是说的那些向光明的人。至于那些制造黑暗的人们虽然他们硬挺着想“乐观”而现实的鞭子却一步一步在逼他们不得不“悲观”。这自然是另一问题了。

力的表现

记得我们文坛上曾经出现过一个名词："力的文学"。

详细解释并没有，然推其意，当系谓文艺作品者不但题材应为斗争的，而文字亦须有刺激性。所谓"尖锐"，所谓"积极"，所谓"富于革命情绪"，光景就是所谓"力的文学"的形容词。

文艺作品本以感动人为使命。然而感人的力量并不在文字表面上的"剑拔弩张"。譬如酒，有上口极猛的，也有上口温醇的。上口极猛者，当时若甚有"力"，可是后来亦不过如此。上口温醇者，则不然；喝时不觉得它的"力"，过后发作起来，真正醉得死人！

真真有力的文艺作品应该是上口温醇的酒。题材只是平易的故事，然而蕴含着充实的内容；是从不知不觉中去感动了人，去教训了人。文字只是流利显明，没有"惊人之笔"，也没有转弯抹角的结构，然而给了读者很深而且持久的印象。

这样作品的产生是有条件的，即是丰富的生活经验和真挚深湛的感情。

但并不是说上口极猛的文艺作品就要不得。不过作家应该不以“上口猛”为满足。

中国现在不乏咄咄逼人的作品，然而温醇的愈咀嚼愈有力的作品，还是少见。这原因也许是中国新文学倒底还没脱离“青年时代”。一个民族一个时代的文学有时也和个人相仿，“青年时代”虽然光彩惊人，却是要到“火候成熟”的程度，就必须走过长长的艰辛的创作经验的道路。

批评家的神通

现在不说批评家的“权威”，只说批评家的“神通”。

曾有一时出现过“权威”的批评家，大刀阔斧地建立了“权威”的文艺批评。可是不久就被“发见”，原来那“权威”是建筑在“错误”的基础上。于是“清算”哪，“自我批评”哪，人家批评哪，纷纷而去，这是应该的，为的我们这混乱的文坛上当真需要比较更健全更正确的批评。

事情是性急不来的，何况建立一种科学的文艺批评。可是据说“作家之群”却等得心烦了，可怎么好呢？这样“公说公有理，婆说婆有理”。于是乎据说“作家之群”不胜其彷徨，只好“搁笔”。

于是“第三种人”奋袂而起，高声抗议了。

抗议的内容是：既然产生不出新的权威，而又硬要拿着指挥棒，硬订了什么“创作大纲”，那不是剥夺了“创作的自由”么？那就怪不得“作家之群”要“搁笔”，而且更怪不得矢忠于文艺者要说“对不起，我走我自己的路了”！

这一场笔墨官司，想来大家知道。而今虽说已经告一“段落”，实在尚未结案。将来也许还有好文章。

可是经这么一下吵闹，批评界的贫弱似乎不但被“暴露”，而且被公认了。眼明手快的先生们感得推倒了暴君那样的痛快，并且既有文坛，不可无批评家，乘这“群龙无首”的当儿，大该各显身手，于是乎我们这文坛上骤然兴起了大批的“新兴”批评家了。

他们不拿指挥棒，因为指挥棒容易成为目标；他们却带着暗箭，冷不防就嗤的射一下。他们反对从前那种大刀阔斧的“权威者”，——他们攒攻这个被打倒的“权威”了，可是他们偷偷地顶替了那衣钵。不过“方式”是不同了。尤其“性质”也不同了。从前使大刀阔斧的英雄虽则是莽李逵，往往不分皂白乱劈一阵，然而大家认识他是“李铁牛”，他自己也拍着胸脯叫道：“俺是黑旋风”。现在使这两把板斧的，就好像那个“李鬼”，一会儿脸上涂着锅煤，在树林子里跳出来唬吓过路客人，一会儿又同老婆商量，想使蒙汗药麻倒那强人告到官里领赏了。这真叫年青的小伙子摸不清头路。

所以我们现在若说批评家的“权威”，这话就不通，现在只能说是批评家的“神通”。

假铁牛碰到真铁牛不过偶然一回，所以假铁牛的大部分工作还是脸上搽着锅煤在林子里唬吓乡下人。他那“十八板斧”就是这样的：文坛消沉到极点了！没有一部作品把握住时代的精神，作家无视了许多伟大的斗争，没有写出“新时代的英雄”的作品到底不行！主题要有积极性，而积极性就是斗争，斗争，第三个斗争！……如是云云，他披着“新兴文学”批评家的外衣。

这种“批评”也许是顶聪明的一种。第一，因为永不会“没落”，永远不会被“打倒”；第二，什么都给它一个“要不得”，好让毛头小伙子搔着头皮再不敢下笔，那就文坛上自然干干净净；第三，大处落墨，灵轻空洞，永远不会“错误”。

这——光景就是“文艺自由”论战以后批评界的新现象。然而既有文坛，总得有批评家，我们觉得现在真正需要的，还是切切实实的不说大话不目空一切而且不搽锅煤的批评家！

批评家种种

上文提到过一些有“神通”的批评家。真正说来，这班有“神通”的批评家实在还是括弧号内的批评家。他们虽然拾得几句批评术语来生吞活剥地使用，实在他们并没真心要干文学批评这工作；他们不过想借此淆乱批评坛上的阵容，使得年青小伙子对于真正刻苦的批评家也认而不清楚了。

把他们譬喻作假冒黑旋风的李鬼，因此也就有几分相像。

不过批评坛上的“黑旋风”，——抡起两柄板斧不分皂白乱劈一阵未中“敌人”要害却反伤了“同路人”那样的战术，虽然颇盛于一九二九年顷，可是现在早经“清算”过了。现在是那被遗弃了的“十八句板斧”老调被“李鬼们”拾了去，另有作用地而且改头换面地在那里唬吓乡下人。

他们和“第三种人”的批评家不同。“第三种人”

的批评家自有其面目，倒是令人一望而知，至少现在是如此。他们“李鬼们”专爱偷人家的“术语”而且故意歪曲。

他们和“白璧德信徒”的批评家自然更不相同。“白璧德信徒”的面目自然更加容易认。年青的小伙子不会弄错。

只有这班聪明的先生们常常穿着漂亮的外衣。看见“第三种人”和“左翼”辩论，他们就挺身而出，左到不知所云地教训了“左翼”也教训了“第三种人”；看见人家讨论“主题积极性”，他们也赶快来了，却又不肯研究，只好乱喊“积极性就是描写斗争；而且必须是胜利的斗争”；他们有点像是“不断革命的”最左者，又有点像是什么都看不上眼的中国式虚无主义者。只有钉他们的“稍”到他老家然后会看见他洗去了脸上的锅煤，露出白生生的原来的嘴脸和老婆商量些什么事。

“白璧德信徒”的批评家虽然绅士之气可掬而且捧住了白璧德自拉自唱，可是他们的招牌倒挂得明明白白：白璧德老店，只此一家，并无分出。“第三种人”的批评家也有特别标记：要革命，但是怀疑文艺党派性。评坛上这样鲜明的阵容，对于年青小伙子自然有利，——不至于摸不清头路。

但是“李鬼”式批评家的出现却使得青年小伙子又

有点眼花了。

文学批评是一方面指导作家又一方面指导读者的。“李鬼”式的批评家既无所谓指导作家却反淆乱了读者的视听。然而这就是他们的“用心”！

批评家辨

现在一说到“批评家”，人们的想像中就浮现出一副冷酷的面孔，——绉紧的眉毛，“炯炯如电”的目光，不容情的嘴巴；而且，“大笔如椽”，这也不好，那也不正确，第三个又是不充分，总之是指斥多而赞许少。

这自然是“幻觉”。批评家并不是脑筋构造与别人不同，专爱从“豆腐里拣骨头”的，并不是一定要把好的都说成了坏；批评家不过是“天职所在”，不能委蛇从俗罢了。一个真真负责的批评家假使不得不指斥多于赞许的时候，他的心一定是苦的，因为他的愉快乃在得佳作而读之，而推荐之，决不是在骂倒了一切。

世上也有什么都看不入眼的“批评家”；他骂“小市民”，因为他们太俗，他也不满意于追求一个理想锲而不舍的人们，以为他们太空想。这样的批评家就是所谓“虚无主义”的批评家。西洋文艺史上就有不少这一类的批评家，但他们也不是真能“虚无”，批倒一切，他们对于虚无主义的作品也还是赞赏。

记得有一个故事，说戏台上在做曹操的戏，有樵夫见曹操者出场，怒不可遏，跳上戏台，以斧杀之。西洋中世纪也有个相仿的故事：杀人者是农民，而被杀者则扮演了那个出卖耶稣的犹大。曹操与犹大虽可杀，然而那位樵夫或农民实在杀错了人了。批评家也有如此这般“杀错了人”的。这就是把作者笔下的人物认为作者现身说法，把书中人物的思想认为都是作者的思想，于是“斧钺之诛”直欲加之作者身上了。

在纷乱的社会里，前一型的批评家常得最“澈底”的头衔，而后一型的批评家常得最“勇敢”的称号。“澈底”与“勇敢”者多，而批评家遂被一般人误会为冷酷可怕，专在吹毛求疵的“批病”家了，这不是偶然的呵！

从“五四”说起

现在要是来编一本《近代中国文学史》，无论如何得从“五四”运动说起。

从“五四”到“五卅”，是一个时期；从“五卅”到“一九二八”，又是一个时期；以后直到现在，又是一个时期。“五四”时期和后面的两个时期是完全不同的。就使单从文艺方面讲，也是不同的；“五四”时代的文艺理论，在“五卅”时期已经不能在青年心里发酵，到了现在，更加被人唾弃，然而假使要编一部《近代中国文学史》，还得从“五四”讲起。

因为不把西洋文学作品当作“闲书”来消遣而当作文学来研究学习，是始于“五四”的！

“五四”的功劳，也许就只有这一点儿。有人以为“五四”是一种“启蒙运动”。不错，在某一意义上，“五四”可以说是“启蒙运动”，然而这个“启蒙先生”刚刚教了“天地日月，山水土木”的第一课，就被时代的巨浪打走了；接手的那位“先生”用的课本是不同的。不但课本，前先生与后先生的出身，头脑，也是完全不同的。时代使得这位“启蒙先生”不能完成他的“大志”。

因此，“五四”这位“启蒙先生”和别国的“启蒙先生”不同。别国的“启蒙先生”教出了一班门弟子，而这些门弟子握着那时代文化的权威，灿然开花结果。“五四”呢，没有等到成熟就僵死了，——由于它自己的先天不足和后天斫伤太甚。虽则到现在还高设讲座，可是门弟子不绝如缕，在这无奇不有的时代的洪流中，不过聊备一格而已。

“五四”做“启蒙先生”的时候，得意文章之一是“反对封建思想”。不幸他只做了一个头，就没有魄力做下去。现在，“反封建”这题目依然是“时代所需要”，从前在“五四先生”绛帐下听过讲的小孩子长大成人了，就拿起这个题目来做文章。可是题目同，做法不同了，主意也不同了。从前“五四先生”是为了甲种人而反封建，为了甲种理想而反封建；现在的青年“反封建”却为了乙种人和乙种理想。他们连从前的“启蒙先生”也骂在里头了！所以这篇老题目的文章虽然做了十多年方始将近脱稿；可是现今在那里做的人决不肯再用从前他们的“启蒙师”的老调，而那位“启蒙师”的门弟子也决不敢认这一门的“同窗”了。

文艺上亦复如此。新的园地里现在开放了许多的花，可是它们的营养料都不是“五四牌”。倘使还有用了“五四”牌营养料的，那只能开放一些小花，时代所忘记的花。而且新牌子的营养料一天一天在这园地增加力量，渐渐地有些吸过“五四”牌的老梗也感受着新的肥力，开放起新的花朵来了。

在中国，“五四”这位“启蒙先生”就演了这样一幕历史的命定的悲剧。

然而我们假使想编一部《近代中国文学史》，无论如何还得从“五四”运动说起的呢！

文学青年如何修养

施蛰存先生希望青年人读点《庄子》和《文选》，他的理由是：（一）感到有些青年的文章太拙直，字汇太少，而从《庄子》和《文选》这两部书中则可以参悟一点做文章的方法，同时也可以扩大一点字汇；（二）他只希望有志于文学的青年能够读一读这两部书，因为每一个文学者必须要有所借助于他上代的文学。（见十月八日《申报·自由谈》，《〈庄子〉与〈文选〉》。）

我们觉得施先生在这里所提出的两个问题很重要，我们很喜欢来参加一点意见，可是我们不能赞成施先生解决该两问题的答案。

我们倒也不是无条件反对青年们读《庄子》和《文选》。这一类的“古典文学”自然不是人人必读之书，但也不是人人必不可读。青年们肯读《庄子》和《文选》，也许比读肉麻的三角恋爱小说或神秘派的新诗要得益得多。然而若为帮助青年们参悟一点做文章的方法或扩大字汇起见，则《庄子》和《文选》实非其伦。我们知道庄子里有许多“做文章”的方法，《文选》里的“字汇”非常丰富，可是这种“方法”和“字汇”只有想摹拟《庄子》及《文选》那样的“古文”时方才用得到，施先生既说“当然并不希望青年人都去做《庄子》，《文选》一类的古文”，然而他又希望青年们从这两部书中参悟一点做文章的方法并扩大字汇，在这里施先生就有点缠夹不清。

施先生又说：“我劝文学青年读《庄子》与《文选》，目的在要他们酿造”。所谓“酿造”，应该与“做文章方法”“或扩大字汇”云云颇有本质上的不同。后者是属于文学技巧上的问题，范围比较狭，而前者则属于广义的“修养”，所谓吞进了一海的书，消化后变成自己的东西再吐出来，就是庶几近乎施先生的所谓“酿造”。这样的意见，原则上是对的；我们所谓《庄子》与《文选》并非“必不可读”，也就站在这个理由上头。不过《庄子》与《文选》中间究竟有多少“原料”合于现代文学青年“酿造”之需，(或必需)，那就很成问题。

我们觉得要帮助青年们免除“文章太拙直”的毛病或扩大“字汇”，应该别求解答。

第一：关于“字汇”，施先生虽然承认《庄子》和《文选》里头“有许多字是已死了的”，但言外之意自然他觉得有许多字可以拿来应用。并且事实上也有人在用。

可是在这里就发生了白话文中“容纳”文言字眼的问题。我们并不主张白话文中必须排除一切从文言文来的字眼，我们对于那些已经成为口头上活用的文言文字眼是主张容纳的，可是我们也认为现代白话文学的“字汇”应该尽量从活人嘴上去采取，而不应该专向古书中去拉；这才是文学青年们扩大“字汇”的正当途径。

第二：关于“做文章的方法”。想来施先生此处所谓“文章”大概是广义的，即通常所谓“文艺作品”。那么，虽然向来人常有《左》，《马》，《庄》，《骚》包罗一切文章做法之说，我们可是未能尽信。于《文选》亦然。这一层，牵涉得广了一点，现在姑置不论。现在略就施先生自谓因编杂志而多接触青年人的文章又从而感到青年人的文章太拙直这一层上推想，大概施先生所指当是纯文艺作品，特别是小说一类。我们敢说现代小说的作法决不能在《庄子》或《文选》中参悟到十之一二。诚然，“每一个文学者必须要有所借助于他上代的文学”，可是也要看此一代的所需和上一代的所供究竟有无本质上的差异。唐宋的文学者“必须要有所借助于”汉魏的词赋，可是，《红楼梦》与《儒林外史》的作者却别有所借助。现代的我们作者如果一定要有所借助于上一代，则亦应该是施耐庵等辈。为青年们“对症发药”计，应该希望他们多读《水浒》等书；这虽然已成为老生常谈，并不出奇，然而于青年们倒是有实益的。

文学家成功秘诀

曾见某笔记谓施耐庵《水浒》先以三十六主要人物的画像挂在书房里，朝朝暮暮对着看，后来“神而明之”，下笔若有“神助”，于是三十六人者乃活跃于纸上了。

这是我们中国祖传的文学家成功的一种“秘诀”。时至今日，《水浒》一书经过了几番考证，已经断定它并非姓施名耐庵者个人意匠之作，而是一群民间传说累积的果实；所谓三十六主要人物的性格，并非由施耐庵看熟了画像揣摹得来，而是许多无名的民间艺术家共同捏塑成功，不过由施耐庵加以最后的编定罢了，因此某笔记所传的“成功秘诀”也就不攻自破，成为无量数“穿凿附会”中间的一种了。

我们祖传的“成功秘诀”中还有一种，鼎鼎大名的司马迁就是此“秘诀”的创始者或实验成功者。这就是说司马迁文章之所以“不拙直”，乃因为他“周游名山大川”。在交通不便的中国古代，“周游名山大川”确不是多数人做得到的，然而司马迁居然“周游”了，文章居然不凡了，所以这“秘诀”是信而有征的。“名山大川”这些死东西，——不，应该说是“美丽的大自然”，或者能够使一个诗人多几首诗，或者竟能使一个诗人的作品更加“浑厚奇诡”，有如入蜀后的杜甫，但是散文家的司马迁的断烂朝报式的本纪列传中也会得着“名山大川”的帮助，想起来真是难以索解。中国古来一些“批评家”讲到文章的“通”或“好”时，总说“神而明之”一类的话，“名山大川”云者，当亦是“神而明之”的一种，反正一部《史记》中包含了文章的各样法门是“久已论定”的。

金圣叹却就干脆的多。他判定《水浒》是学得了太史公笔法。他这“发见”，其实也是中国祖传的文学家“成功秘诀”第三种，即所谓“脱胎”。现代施蛰存先生用了“现代语”翻译出来，就是“每一个文学者必须要有所借助于他上代的文学”。

不用说，书房里挂了画像朝朝暮暮对着看，到底太烦麻，而且先须请人画了像，尤其烦磨；“名山大川”呢，虽则近来“水陆联运”，公路大辟，似乎比司马迁时代方便得多了，可是风尘仆仆，也够讨厌，还不如安坐在书房里“借助于上一代”，一部石印的《庄子》，石印的《文选》，至多不过化上四块钱，经济时间，两皆合算。这样一比较，就见得斤斤然劝青年们先求生活经验充实的人们，委实是傻不可及了。

我们有什么遗产？

“五四”的文学运动在最初一页是“解放运动”；就是要求从传统的文艺观念解放出来，从传统的文艺形式（文言文，章回体等等，）解放出来。

终“五四”的时期，没有提出系统的坚实的新文学运动的主张来过。

然而“五四”文学运动初期的“解放运动”总算是顾到了思想与形式两方面的。

后来不久，就由思想与形式的兼顾到了专门注力于形式。“新式标点分段”加上了“新序”的旧小说，大批地出现了。本来这种“标点旧书”的工作，可以说是有积极的意义的；因为大凡文学上一种新运动最初爆发的时候，其注意在思想，（新的内容），自然同时也创造了新的形式，可是到这运动确立了时，形式的探讨也就加倍努力：形式探讨这一工作，可以是多方面的，而研究旧时代的文学巨著也是其中之一；在这意义上，我们

“五四”时代的“标点旧书”未始不是新文学运动进展中应有的一个阶段。

但是“五四”时代的“标点旧书”并没从这样积极的动机出发。那时的“标点旧书”是要证明给反对白话文的人看，白话文学老早即已成立。这是一种防御战！不，简直还是退却！因为“自我创始”的自信力已经动摇，开辟新天地的勇气已经消衰。

同时，由形式方面的请出古人为奥援，便转到了思想方面的忽略，甚至也拣出古人的一二“突破时代”的议论来替自己“张目”了。这都表暴了“五四”文学运动的“先天不足”，于是“解放运动”堕落为白话文学运动，而新旧文学之争也被一般人认为文言白话之争；到了问题只在“文”“白”的时候，所谓“新文学运动”者，只是阉割了的废物。

在原则上，“标点旧书”并不是坏事。因为旧时代的文学巨著是我们的一种遗产；这份遗产，我们得清理一下，拣出些合用的东西来。

问题是在我们到底有什么遗产？

我们有《水浒》，《红楼梦》，《儒林外史》，《西游记》，……乃至《海上花》。这些当然都是“遗产”。社会科学者假使要研究过去时代的社会情形，这些“文学的遗产”很能供给些材料，特别是《红楼梦》，《儒林外史》一类的小说。但是假使一位创作家抱了“学习手法”的目的去钻这“遗产”的故纸堆，那他是会空手回来的。《水浒》，《红楼梦》，《海上花》等书，当然配称一声“杰作”，可是这些书里的“创作方法”很少是我们现在合用的。清末的作家可以从前代的文学巨著里学得手法，创造了几部好的作品，但我们现在需要的是更进步的技术，而这恰巧是我们的章回体旧小说里根本没有的。

文学是没有国界的。在“接受遗产”这一名义下，我们不应当老是望着自己那不完全的一份儿；我们还得多多从世界的文学名著去学习。不要以为中国字写的，才是“遗产”呀！

再谈文学遗产

我们的文字是单音字，个个四方一块，整齐得很。我们的祖先应用这四方块的文字，“神而明之”，像变戏法似的曾经变出多种的花样来。例如“词”，“曲”，“四六”，“回文诗”，乃至“八股文”，都是盖世无双的文字的游戏。倘说这些“文字的游戏”并不巧妙，那实在是冤枉了它。

而这些“文字的游戏”，也就是我们所有的一份文学的遗产，千百年来我们的文人互相传授，继续“光大发扬”，以有今日之“洋洋大观”。倘若我们现在不讲究什么“文学革命”，那么，我们拥有此偌大的“遗产”，真可以“闭关自守”的！

可是我们既然要想“迎头赶上”世界潮流，既然要“文学革命”，那么，这一份“宝贵”的遗产实在一钱不值！因为现代所谓“文学”和“文字的游戏”是两样东西。“文字的游戏”自然也有它的“技巧”，然而这种

"技巧"和"文学"的技巧截然不同，犹之变把戏人的技巧不是熟练工人的技巧，倘使一个不熟练的工人想从变把戏人学习技巧，那真所谓南辕而北辙。

近来时常看见有些"新文学界"中人劝青年们从我们本国的所谓"文学遗产"中学习"技巧"，或者谈诗说词，暗示此中有技巧——他们或者出自一片热心，但他们这见解却不能不说是错误的。我们不需要我们的诗词四六以及古文里的技巧，正像我们不需要那些"文字游戏"中的思想一样！

我们的"文学遗产"中自然也有一些可以称为"文学"而不是"文字游戏"的东西，例如《水浒》，《红楼梦》之类；但是数量之少，直等于零。这少数几本书的滋养料，自然不能满足我们的需要。况且这几本书里的"技巧"，也只是手工业式的"技巧"；例如水浒描写人物个性算是好的，但它是写了一个再写一个的办法，每个人物的个性只在专写那个人物的几章里跟着故事作"有机的发展"，等到他的故事一完，他这人物也就停滞了，以后别人的故事中再见此人物时，就毫无精彩。杨志这人物在"卖刀"，在"押解生辰纲"的故事中，是活泼泼地在发展着的人物；鲁智深在"拳打镇关西"，在"大相国寺管菜园"，在"救林冲"的故事中，是活泼泼的在发展着的人物；武松在"打虎""杀嫂"这一串的故事中也是活泼泼的在发展着的人物；但是到"青面兽双夺宝珠寺”这一回里，这三个人物合在一起了，却三个都是死板板地没有精采。这三个人物到这里就停滞了！这种样的“技巧”我们说它是手工业式的！自然我们也可以学习《水浒》单写一个人物故事时的技巧，可是我们嫌不够，我们尚需要更复杂的，“有机组织的”，机器工业式的技巧！在这点上，我们就感到我们简直没有“遗产”！

所以我们现在谈到文学遗产问题，我们的眼光不能只朝里看，我们要朝外看。世界的文学名著也是我们宝贵的文学遗产。我们要向那边学习。能够直接读原文，自然最好；否则，读可靠的译本也是比不读好得多！忠实的翻译者和译本批评者在目今是非常之需要的！

我曾经穿过怎样的紧鞋子

我在小学校的时候，最喜欢绘画，教我们绘画的先生是一位六十多岁的国画家。他的专门本领是画“尊容”，我的曾祖的“行乐图”就是他画的，大家都说像得很。他教我们临摹《芥子园画谱》，于是我们都买了一部石印的《芥子园画谱》。他说：“临完了一部《芥子园画谱》，不论是梅兰竹菊，山水，翎鸟，全有了门径。”

他从不自己动手画，他只批改我们的画稿；他认为不对的地方，就赏一红杠，大书“再临一次。”

后来进了中学校，那里的图画教师也是国画家，年纪也有点老了。不过他并不是“尊容专家”。他的教授法就不同了。他上课的时候在黑板上先画了一幅，一面画，一面就叫我们跟著临摹；他说：“画画儿最要紧的诀窍是用笔的先后，所以我要当场一笔一笔现画，要你们跟著一笔一笔现临；记好我落笔的先后哪!”有时他特别“卖力”，画好了那幅“示范”的画儿以后，还拣那中间的困难点出来，在黑板的一角另画一幅“放大”，好比影片中的“特写。”

这位先生真是又和气又热心，我到现在还想念他。不用说，他从前大概也曾在芥子园画谱之类用过苦功，但他居然不把《芥子园画谱》原封不动掷给我们，却换着花样来教我们，在那时候已经十分难得了。

然而那时候我对于绘画的热心比起小学校时代来，却差得多了。原因大概很多，而最大的原因是忙于看小说。课余的时间全部消费在旧小说上头，绘画不过在上课的时候应个景儿罢了。

国文教师称赞我的文思开展，但又不满意地说：“有点小说调子，应该力戒”！这位国文教师是“孝廉公”，又是我的“父执”，他对于我好像很关切似的，他知道我的看小说是家里大人允许的，他就对我说：“你的老人家这个主张，我就不以为然。看看小说，原也使得，小说中也有好文章，不过总得等到你的文章立定了格局，然后再看小说，就没有流弊了”。这一会儿，他又摸着下巴说：“多读读《庄子》和韩文罢！”

我那时自然很尊重这位老师的意见，但是小学校时代专临《芥子园画谱》那样的滋味又回来了。从前临《芥子园画谱》的时候，开头个把月倒还兴味不差，——先生只叫我临摹某一幅，而我却把那《画谱》

从头到底看了一遍，“欣然若有所得”；后来一部画谱看厌了，先生还是指定了那几幅叫我“再临一次”又一次，我就感到异常乏味了。而这位老画师的用意却也和那位“孝廉公”的国文教师一样：要我先立定了格局！《庄子》之类，自然远不及小说来得有趣，但假使当时有人指定了某小说要我读，而且一定要读到我“立定了格局”，我想我对于小说也要厌恶了罢？再者，多看了小说，就不知不觉间会沾上“小说调子”，但假使指定了要我去临摹某一部小说的“调子”，恐怕看小说也将成为苦事了罢？

不过从前的老先生就要人穿这样的“紧鞋子”。幸而不久就来了“辛亥革命”，老先生们喟然于“世变”之巨，也就一切都“看穿”些，于是我也不再逢到好意的指导叫我穿那种“紧鞋子”了。说起来，这也未始不是“革命”之赐。

一个译人的梦

我们的“卡通”是这样开场的：

说是有一位X先生罢。X先生的职业是翻译，文艺作品的翻译者。倘使援“报人”“影人”之例，我们老老实实就称他为译人罢。

怎样一来就把翻译当作了固定的职业。X先生自己也想不起来了。他只记得自己职业的最初记录是“教书匠，”洋文教员。不知是那一项的“灵感”来了，于是某一年的暑假里，他翻译了几篇西洋小说。这是“爱美的”翻译，完全干着好玩的。

可是“翻译菩萨”就此看中了他。记不清是那一年的内战，学校关门，我们这位X先生也逃难逃来了上海。老婆等着米下锅，孩子们鞋子也张开嘴来；在这当儿，X先生从前的“爱美的”产物可就显了神通了。从此以后，他丢开教鞭，拿起译笔。他是“职业的”译人了。

民国十年，代价是千字二元。

民国十五年，涨价了，千字三元。

然而房租也跟着涨了，日用品也跟着涨价了，比X先生每千字的代价还要涨的快。孩子们也大了，飞快的大了，超过了X先生的预定计划。

在这当儿，X先生每天非干两千字，简直过不活。是“干”么？谁说不是“干”呢！从前暑假里“爱美的”弄弄译笔，往往为了一个字踱这么半天方步，查了两天的大字典，——这才不是“干。”然而于今回望，那只是一个梦了。

接着是大水灾，“沈阳事件，”终之以上海的“抗日”恶战。

闸北无屋可住了，租界里的房租又飞涨起来，生活必需品赶快也跟着涨上来。标金破了八百两大关，洋文书薄薄的一本，也得四块钱；X先生的“翻译材料费”也今非昔比了。

然而X先生还只得“干，干，干!”然而他的千字代价却涨不起来。

鸡年的除夕，X先生到他的“买主”那里领译费，那位矮胖胖的经理先生对他说：“市场不景气，千字三元是行不去了，以后是千字二元；我们这里还收得有一元主义的译稿呢!”

X先生呆了半晌，没奈何只好做个“二元主

义”者。

走回家去的时候，他脑子里只有一个念头在：从此每天非得“干上”三千字不可了！不错，他的算法是对的，硬是三千字一天！他现在不复是“干”，简直是“赶”了。每天非得“赶上”三千字不能过活。

他想起了“生活老爷”给他开的玩笑。二元仍是二元，可是现在是民国二十三年，各项生活费都标着民国二十三年的价格，并不肯为了他 X 先生而回到民国十五年。

每天要“赶上”三千字呢！一个译人兴奋起来时，一天干上这么三千字，原也不是什么奇迹；但是每天板定了要三千，一年三百六十日少不得半个，这可不是人干的活。

可是他只好咬紧了牙齿干。从前的“二元主义”时代，他开始译一本新书以前，他还“有闲”，还可以先把这书从头读了一遍，读到高兴时，他脸上喜洋洋地觉得“介绍”这项工作似乎也还“神圣”似的。读过后，他又揣摹全书的神韵，细味全书的脉络，最后是兴兴头头提起笔来在原稿纸上写了第一个字。但现在，他要是先来通读一遍，化了两三天，读过后细细辨悟，又化上一二天，请问这首尾一星期光景的全家口粮谁来认账？书店老板只算白纸上的黑字，不满一千的零数还得几角几分照扣，书店老板怎么肯认账 X 先生“预备工作”的代价？

碰到书里有什么新流行的名词，X先生左看好像有点懂，右看又好像很陌生，他的字典还是三十年前的老家伙，告诉他的等于零；于是X先生就记起前年有过某某大字典的新版，可抽不出那笔钱去买了来；于是硬一硬头皮，望文生义地“赶下去”了。书中也许用了典故。往常，X先生总得查查“Reader’s Hand Book”一类的书，有时格外巴结，还要去问问朋友，但现在，查书呢，固然会耽误这么千把字，请教朋友呢，更是谈也不用谈。于是再一次硬头皮，又“赶下去”了。

“一分钱一分货！而今简直是商品了！”

X先生“赶”得苦了的时候，心里就这么叹息。

从前“爱美的”译书时代的兴趣，现在没有了；在“干”的时代开始时，X先生还常常回想从前那种味儿；而今又从“干”的时代堕落到“赶”的时代，X先生简直不敢回想从前那种乐趣了，他只有痛苦，——有时在“硬一硬头皮”以后，那就痛苦中夹着点儿惶悚不安。

于是某一天他走过书店街，猛然看见了《文学》的翻译号。呀！翻译号呀！因为关系着自己的职业，X先生就省下车钱买了一本回家。

他读到了“翻译号”中几篇批评的短论了。

拍的一声，把杂志掼在地上，X先生气得定了眼睛。X夫人以为又是书店老板要扣译费，要实行“一元主义”了，也吓得心头卜卜地跳。

过了一会儿，X先生这才转过一口气来叫道：

“他们倒说得好漂亮话！精译，精译，十五年以前，我才是精译过来的！现在，不错，我是粗制滥造了，可是亡八才喜欢这么办！我不负这个责任！该咒诅的，是二元主义一元主义的书店老板！”

X夫人一半懂，一半不懂，却也明白丈夫是看了人家的文章生气，她心里放宽了一大半。

发过牢骚后，X先生又提起译笔来。可不是，他今天还只“赶上”了一千字挂点儿零呢！然而他提起笔，只管呆呆地出神了。久已不在他心上打磨旋的从前翻译的乐趣这时又涌上来，涌上来，赖着不肯去了。他眼前的苦工相形得更加难堪，非但对不起读者，也对不起他自己呀！

忽而他自言自语的说道：

“再要有那一天，不必‘赶’，而是‘干’，不错，像从前那样，暑假时那样；不错，精译，精译……话是对的？然而——除非是世界翻个身，再不然，中了个航空奖券头彩！唉！唉！”

“莫说头彩，二彩，三彩，四彩，也好得多了！”

X夫人忽然在那边屋角里插嘴说。她只听得了丈夫的后半段话。

"媒婆"与"处女"

从前有人说"创作"是"处女"，翻译不过是"媒婆"，意谓翻译何足道，创作乃可贵耳！

这种比喻是否确当，姑置不论。然而翻译的困难，实在不下于创作，或且难过创作。第一：要翻译一部作品，先须明了作者的思想；还不够，更须真能领会到原作艺术上的美妙；还不够，更须自己走入原作中，和书中人物一同哭，一同笑。已经这样澈底咀嚼了原作了，于是第二，尚须译者自己具有表达原作风格的一副笔墨。

这第二点，就是翻译之所以真真不易为。例如荷马的史诗伊利亚特和奥特赛，现有蒲伯的译本算是顶括括了；然而评者尚谓蒲伯的译文虽有原作的瑰奇绚烂，而没有原作的遒劲质朴；蒲伯的译文失之于柔弱。譬之一女子，婀娜刚健，兼而有之：——这是荷马的原作。可是蒲伯翻了过来，只剩下"婀娜"了！

又如巴尔札克的"Contes Drolatiques"是十六世纪法

国生活的一幅神奇的图画。巴尔札克用了惊人的艺术手腕，——惊人的写实主义的手段，把十六世纪法国的“快乐”的上伦（Touraine）连镇带人发掘了出来，再现于十九世纪欧洲人的眼前。所以要翻译这本书，必须兼懂历史，古代法国方言，乃至考古学等等，而且要懂得的程度高。前世纪七十四年，离巴尔札克著作那书的时代已有五十年光景了，始有第一个英文译本；这不是潦草的翻译，可是风味够不上，我们读这英译本，并不能“忘记肚里饿。”原因在那里呢？原因在译者没有巴尔札克那一副既诙谐而又热蓬蓬而又粗犷的笔墨。

所以真正精妙的翻译，其可宝贵，实不在创作之下；而真正精妙的翻译，其艰难实倍于创作。“处女”固不易得，“媒婆”亦何尝容易做呀！

大凡从事翻译的人，或许和创作家一样，要经过两个阶段。最初是觉得译事易为，译过了几本书，这才辨出滋味来，译事实不易为了。还有，假如原作是一本名著，那么，读第一遍时，每每觉得译起来不难，可是再读一遍，就觉得难了，读过三遍四遍，就不敢下笔翻译。为的是愈精读，愈多领会到原作的好处，自然愈感到译起来不容易。

从前率先鄙薄翻译是“媒婆”而尊创作为“处女”的是郭沫若先生。现在郭先生既已译过许多，并且译过辛克莱的《煤油》，《石灰王》，《屠场》，以及托尔斯泰的《战争与和平》的一部分，不知郭先生对于做"媒婆"的滋味，实感如何？我们相信郭先生是忠实的学者，此时他当亦自悔前言孟浪了罢？

不过这些是题外闲文了，我们现在要指出来的，就是近两年来，不喜欢翻译好像已经成为一种青年心理。由不喜欢翻译，从而鄙薄从事翻译的人，也成为一种心理。这原因是有两方面的：一方面因为社会混乱，青年烦闷，渴求看看讲到自己切身的事；另一方面因为有些译本不免是"说谎的媒婆，"青年们上过一次当，遂尔神经过敏起来，合着一句俗话："三年前被蛇咬了一口，于今看见草绳还心惊。"

这种神经过敏的状态，应该加以纠正。而纠正之道，还在从事翻译的人时时刻刻警惕着：莫做说谎的媒婆。

同时，我们以为翻译界方面最好来一个"清理运动。"推荐好的"媒婆，"批评"说谎的媒婆。"因为我们这里固然有些潦草的译本，却也有很多不但不潦草并且好的译本，——这应当给青年们认个清楚。

直译·顺译·歪译

“直译”这名词，在“五四”以后方成为权威。这是反抗林琴南氏的“歪译”而起的。我们说林译是“歪译，”可丝毫没有糟蹋他的意思；我们是觉得“意译”这名词用在林译身上并不妥当，所以称它为“歪译。”

林氏是不懂“蟹行文字”的，所有他的译本都是别人口译而林氏笔述。我们不很明白当时他们合作的情形是别人口译了一句，林氏随即也笔述了一句呢，还是别人先口译了一段或一节然后林氏笔述下来？但无论如何，这种译法是免不了两重的歪曲的：口译者把原文译为口语，光景不免有多少歪曲，再由林氏将口语译为文言，那就是第二次歪曲了。

这种歪曲，可以说是从“翻译的方法”上来的。

何况林氏“卫道”之心甚热，“孔孟心传”烂熟，他往往要“用夏变夷，”称司各脱的笔法有类于太史公，……于是不免又多了一层歪曲。这一层歪曲，当然口译者不能负责，直接是从林氏的思想上来的。

所以我们觉得称林译为“歪译，”比较切贴。自然也不是说林译部部皆歪，林译也有不但不很歪，而且很有风趣——甚至与原文的风趣有几分近似的，例如《附掌录》中间几篇。这一点，我们既佩服而又惊奇。

现在话再回到“直译。”

照上文说来，“五四”以后的“直译”主张就是反对歪曲了原文。原文是一个什么面目，就要还它一个什么面目。连面目都要依它本来，那么，“看得懂，”当然是个不言而喻的必要条件了。译得“看不懂，”不用说，一定失却了原文的面目，那就不是“直译。”这种“看不懂”的责任应该完全由译者负担，我们不能因此怪到“直译”这个原则。

这原是很浅显的一个道理，然而不久以前还有人因为“看不懂”而非难到“直译”这原则，而主张“顺译，”这也就怪了。

主张“顺译”者意若曰：直译往往使人难懂，甚至看不懂，为了要对原文忠实而至使人看不懂，岂不是虽译等于不译；故此主张“与其忠实而使人看不懂，毋宁不很忠实而看得懂。”于是乃作为“顺译”之说。“顺”者，务求其看得懂也。

在这里，我们觉得很不必噜噜苏苏来驳质“顺译”说之理论上的矛盾，（因为它的矛盾是显然的，）我们只想为“直译”说再进一解：

我们以为所谓“直译”也者，倒并非一定是“字对字，”一个不多，一个也不少。因为中西文字组织的不同，这种样“字对字”一个不多一个也不少的翻译，在实际上是不可能的。从前张嵩年先生译过一篇罗素的论文。张先生的译法真是“道地到廿四分”的直译，每个前置词，他都译了过来，然而他这篇译文是没有人看得懂的。当时张先生很坚持他的译法。他自己也知道他的译文别人看不懂，可是他对《新青年》的编者说：“这是一种试验。大家看惯了后，也就懂得了！”当时《新青年》的编者陈仲甫先生也不赞成张先生此种“试验，”老实不客气给他改，改了，张先生还是非常不高兴。现在张先生大概已经抛弃了他的试验了罢，我可不十分明白，但是从这个故事就证明了“直译”的原则并不在“字对字”一个也不多，一个也不少。“直译”的意义就是“不要歪曲了原作的面目。”倘使能够办到“字对字，”不多也不少，自然是理想的直译，否则，直译的要点不在此而在彼。

文学作品跟理论文章又有别。有些文学作品即使“字对字”译了出来也看得懂，然而未必就能恰好表达了原作的精神。假使今有同一原文的两种译本在这里，一是“字对字，”然而没有原作的精神，又一是并非“字对字”，可是原作的精神却八九尚在，那么，对于这两种译本，我们将怎样批判呢？我以为是后者足可称为“直译。”这样才是“直译”的正解。

若依“顺译”说，则“务求其看得懂”的结果，势必歪曲了原作的面目。因为“顺译”者所谓“看得懂”只是“一目看去即懂不用想一想”的意义，然而文学作品中颇多需要带看带想然后能够辨悟那醇厚的味道的。

还有，“顺译者”每每容易变成“歪译。”因为“顺译”的又一意义是要译文流利漂亮。然而有些文学作品的精神也许是粗犷朴质，倘使改做了流利漂亮，也许读者（当然也只有一部分）是觉得便利了，但原作却遭了殃了。就一般情形而言，欢迎流利漂亮想也不用想一想的文字的，多半是低级趣味的读者。换一句话说，即是鉴赏力比较薄弱的读者。倘使要顾到他们的脾胃而要“顺译”起来，那不用说，有些原作的真面目要被歪曲了。

最后，我们再来谈谈“歪译”罢。

上文说过“歪译”了。这是普通的说法。这“歪”是一直“歪”到了原作的思想部分的。但是还有另一种“歪法。”譬如原作的文字是朴素的，译文却译成了浓艳，原作的文字是生硬的，译文却成了流利；要是有了这种情形，即使译得并没有错误，人人看得懂，可是实际上总也是歪曲了原作。这一种“歪译”现在还没引起大注意，可是我们以为应该注意的。

又一篇账单

一九二九年，真美善书店出版了“第一回”的《汉译东西洋文学作品编目》。据此目所载，则截至一九二九年三月三十一日为止，连“五四”以前一些文言译本也在内，我们共译了二百九十九个西洋作家和五十个日本作家。编目的例言中又声明“译本取舍之标准，以原作之价值为准，故如哈葛德，科南道尔，勒白朗等三四流作家之作品一概不录，”又“民间文学作品之无著作人者如《波斯故事》等，亦未有列入。”据此则到一九二九年止，翻译过来的作家实在数目当在四百个左右了。

现在根据了这个《编目》从国别方面看一看，那么要是以作家为单位，大略如下——

英国最多，计有五十五位作家；

其次是法国，计有五十一位；

又次是俄国，计有三十八位，连新俄八位，共得四十六；

又次便是德国，二十八位；

又次是美国，十五位；意大利，十三位；

斯干的那维亚方面，共计十五位，计丹麦二位，那威五位，瑞典五位，荷兰三位；

西班牙亦有五位；

各小民族共得五十位，计开：波兰十一位，最多；匈牙利九位，新犹太七位，芬兰五位，保加利亚五位，捷克四位，乌克兰，罗马尼亚，亚美尼亚，各二位；南斯拉夫，土耳其，塞尔维亚，各一位。

这是差不多二十年的长时期中我们译界的总成绩。自然这一个账单有遗漏，可是大概是这么一个数目，差不了好多的。

照中国贫弱的缗译力和出版力而论，上述成绩并不算怎样坏罢？不过我们得声明，上开东西洋三百四十九个作家中，其中倒有一小半是只译了一两个短篇小说过来，例如保加利亚的跋佐夫，我们所译过来的，只是几个短篇，他的巨著《轭下》是没有缗译的。所以单看作家名字，觉得什么都还有一点，尚堪自慰，而一按内容，还是要丧气的。

第二个缺点就是各民族的作家中间尽有许多更伟大的，我们倒缗译得很少，或简直没有。这只要看《编目》的英德法美四部分就显然可见。俄国部份算是比较的整齐，然而细想一想，不是柴霍甫和杜格涅甫所占太多，而哥郭里，杜思退益夫斯基占得太少了么？高尔基也是很少的。托尔斯泰虽然不算少，可是“文言”译本占了大半，而这些文言译本又都是歪曲了的。

第三个缺点就是“古典名著”几乎没有一本称意的繙译。西万提斯的《吉诃德先生》，雨果的《哀史》，都只有斩手截足的文言译本。其余连不完全的文言译本都没有的“古典名著，”少说也可以举出一打来。我们给青年们阅读古典名著的机会似乎太少了。

第四个缺点是世界各国任何大作家我们都没有他的一个全集译本。

然而话虽这么说，我们却不能不承认有那么三百多作家的作品翻译了过来，而且其中不乏叫人称心的精译，已经是不容易了。何况从一九二九年到现在，这四年中间，我们又多加了许多译本，特别是新兴文学方面。

近来常看见青年们有一种矛盾的心理。他们一方面愿意从世界大作家去学习，但是一方面又不喜欢看翻译，甚至鄙薄繙译。当然我们文坛上还没有多少精译本供给他们，然而书店老板出书得打“销路好不好”的算盘，“不喜欢看繙译”成了风气，译本就愈加出得少，而精译本尤其难得了。因为要译得精，就不得不多化时间，就是译者所得的代价必须较多，可是在译本滞销的今日，出版家又怎么肯多化稿费？

我们相信如果没有大批的西洋名著好好地繙译过来，

则所谓“从大作家学习”云云，只是一句空话。在这当儿，有计划的翻译是必要的，同时，打破那种鄙视缗译的空气，也是必要的。

记得一九三一年那时候，中华书局曾有翻译世界文学名著百种的大计划。书目也定了，译者也约定了许多了，可是至今尚未见出书。自然那书目总也有不完备的地方，而所得的译本是否都精当也有疑问，可是这个计划的搁浅，无论如何是可惜的！

翻译的直接与间接

直接翻译就是从原作译出来，间接翻译就是原作已有了别国文字的译本，再从这译本转译。

最近穆木天先生讨论到这个问题，惹起了一场小小的论战。穆先生最初主张，凡翻译必须直接，倘若懂英文的人不去翻译英国文学作品而从英文中去转译别国的文学作品就是投机。后来经过辩驳，穆先生也自认“投机”一语未免“失检”，于是他修正了他的议论道：原则上应以直接译为主，但不得已时也可转译；惟转译亦须参考两种以上的原译本，并须慎选原译本，因为原译本每有删动之处。

同时穆先生又感慨于“转译”盛行，致使直接译本不能出版，似乎他把“劣质货币驱走良质货币”的原则也应用到出版界方面来了。但穆先生是有证据的，他书桌抽斗里就搁着好几部直译本无法出版。

我们以为穆先生的“转译驱走直接译”一说是错误

的。穆先生在估计“译本出版的可能性”时，忘记了出版界的力量和市场的需要——这两个条件。四五年前出版家力量比较充足（新开了许多书店，而且资本相当充足），以及市场需要比较旺盛（读者的钱袋比现在饱满些）的时候，“转译本”不但不能驱走“直接译本”，并且也未尝驱走了同一来源的“转译本”。那时我们有两个译本的《西线无战事》，三个译本的《沙宁》，都是同从英文转译的。当时倘另有第三种从原文直译的《西线无战事》等等找出路，我相信一定有好几家书店抢着要出版。即以现今而论，出版界固然患着“贫血症”，然而倘使有一部书的“转译本”轰动一时，则该书的“直接译本”也一定很受书店老板欢迎，——只要这个“直接译本”不是看不懂的。

再进一步，我们觉得近年来一般读者对于译文之冷淡，其原因也不简单。鄙薄翻译为“媒婆”，这是一个远因。有些译本实在太糟，这又是一因，大家都知道，不用再说。还有一个原因，就是十年前有些人大攻击“转译”，直欲把“直接翻译”捧上三十三天，先在青年们心理造成了一个“直接翻译”一定好的成见，却不料后来有些“直接翻译”大出岔子，于是青年们弄得瘟头瘟脑，结果是对于译文的信仰一天不如一天。

所以“直接译”或“转译”在此人手不够的时候，大可不必拘泥；主要一点，倒在译者的外国语程度。倘使有人既懂日本文，又懂英文，然而日本文懂的更透澈，那么，当他要译什么辛克莱的时候，倒不如拿日本译本做底子，较为妥当。穆先生以为“转译”只好限于弱小民族的文学作品，（因为他们的文字懂的人少），又说“转译”的原译本要有条件的选择，例如译波兰的东西应找德文译本，故此不懂德文的人顶好莫译波兰；穆先生的意见何尝不美，只可惜放在今日，总觉得是持论太高呵！我们总以为一位德文程度很高的人未始不可从德文转译西班牙，而一位法文程度还有疑问的人勉强从法文去译意大利倒是冒险。

现在要使译事发展，只有根据主观的力量，作忠实的试探。高调虽然中听，却会弄到只有议论而无译本。倘使觉得“转译”充斥，有伤一国文化的体面，那么，饿极了的人终不成为了“体面”而抵死不啃窝窝头罢？

关于小品文

今年文坛上小品文大为流行。小品文的刊物一时风起云涌，于是“论战”就来了，有人戏呼为“宇宙和苍蝇之争”，文献足征，此姑不赘。

小品文本身只是文学上一种体裁，小品文之利弊如何，全看人们用它来装载怎样的内容。飞机可以带了炸弹去轰炸乡下人，但也可以播种，可以杀蝗虫。小品文在“高人雅士”手里是一种小玩意儿，但在“志士”手里，未始不可以成为“标枪”，为“匕首”。

小品文本身是不应该反对的。

我们以为应该提倡小品文，积极批评小品文，使得小品文发展到光明灿烂的大路。我们应该创造新的小品文，使得小品文摆脱名士气味，成为新时代的工具；我们应该把“五四”时代开始的“随感录”“杂感”一类的文章作为新小品文的基础，继续发展下去。

要是我们不满于专论苍蝇之微的小品文，那么，我们就应该写出包括宇宙之大的小品文来跟它比赛，让读者来决定两者的命运。因为小品文的流行不是偶然的，有它的社会的要求，惟有创造新的小品文然后能使这社会的要求趋于光明。

如果我们以为小品文将成为某些人的避世的桃源，那么我们就应该使这“避世桃源”变为热蓬蓬的铁工场，站在这“桃源”外边诅骂是无用的。

我们也要写游记。我们要用满洲游记，长城游记，闸北战墟游记等等来振发读者的精神。我们要写铁工场，码头矿穴……等等的 Sketch 来照明“小品国”的每一个角落的幽秘。

我们应该提倡小品文，创造新的小品文；让我们来喊一声：

小品文万岁！

怎样编制文艺年鉴

因为新近出现了一本《中国文艺年鉴》，我们就想起“文艺年鉴”应当怎样编制这一问题。

目前出版的《中国文艺年鉴》共计全书七百八十九面，所谓“堂堂一巨册;”然而细按内容，则七百八十九面中，“创作选”就占据了六百九十八面，计选短篇小说十八家十八篇，诗十家十八篇，散文六家六篇，剧本二家二篇。剩下来的极少篇幅给了绪言式的《一九三二年中国文坛鸟瞰》和《作家及出版索引》，前者只有三十五面，后者一题一行也只得四十六面，合共八十一面，仅及全书十分之一强。《年鉴》的“创刊缘起”上自称“单是选录作品，这决不成为年鉴，”而“作品的选录实在只是年鉴的附录，”可是事实放在我们眼前，这“第一回”的《中国文艺年鉴》倒是“附录”大过本身九倍了！

所以这部“第一回”的《中国文艺年鉴》实际上还

是一本“作品选，”和该年鉴“创刊缘起”中所指摘的《小说年鉴》，《新诗年选》，以及《小说年选》，并无上下床之别！

想来该年鉴社同人以为既有了三十五面的《鸟瞰》及四十六面的《索引》，就算面目一新，就算是“年鉴”了罢？但我们（还有大多数的读者）不能赞同这样草率的办法。《鸟瞰》一文算不得“一帧清晰的照片，”姑不具论，只看那四十六面的《索引》，也就简陋得令人惊叹！总共只有四十六面，而且是一姓名占一行，一书名也占一行的办法，却包括了两大“编目”呢！年鉴中间著录作品而仅仅“编目，”而没有一点“提要，”已经是贪懒取巧的办法，何况所谓“编目”又并不详备？据我们记忆所及，该“编目”漏列的文章已经不少了！

因此，“第一回”的《中国文艺年鉴》虽然已经创刊了，可是“文艺年鉴”这样的书籍到底应当是怎样一种编制体例，似乎还有提出来说明一番的必要。

第一：“文艺年鉴”是“编年史”的性质，不应该选录作品，即不得已而选录作品，就应该实居于“附录”的地位，不能比本身大，甚至于大过数倍。

第二：“文艺年鉴”的本身应该是文艺各部门的详细论述；凡小说，诗歌，散文，戏曲，理论文字，翻译，等等，都要独立一章，详细论述；像该《年鉴》的《鸟瞰》之类的论文只能算是各专章前的一个“绪言。”又关于旧文学的整理，旧书的新发见等等，该《年鉴》中并无一字提及，可是这也应该在“年鉴”中占独立一章的。

第三：作家著作索引及书籍编目，才算是“附录，”然而这“附录”必须详备，尤必须每书有一则简明正确的“提要！”

第四：一年内出版的文艺性定期刊，不论大小及出版久暂，都应该编目著录，并且每种加一“提要，”说明该刊物的旨趣及重要内容。

第五：国内的文艺团体，不论大小，不论新旧，都应该详细调查，照实记载。我们知道在上海一埠，青年们组织的文艺团体就不下二三十个，其中有十六个比较进步的，新近联合组织了一个“联合会；”上海既有如许青年文艺团体，他埠亦必不少；“文艺年鉴”中不应该忽略了此种文艺团体的存在！

如果照上述编制体例而编成了一部“文艺年鉴，”即使篇幅不到七百面，即使不免疏漏，我们仍将称之为“年鉴。”而现在新出版的“第一回”《中国文艺年鉴》，姑不论其议论的错误，单就体例上说，也只是一部小说诗散文剧本的“年选，”而绝对不能称为“年鉴！”

天才与勇气

偶然起身颇早，却又逢着好晴天。早餐既竟，办公时间未到，就学时髦，挟一本洋装书到公园里去“读”。翻开来一看，才知道抽错了书了。这是北欧“大名家”的一本作家论集。

然而还是读下去罢。

不料第一篇第一句就是“惊人之笔”：有天才的人必得也有勇气。底下五六行，（很像咱们古国所谓古文中的排句），就申说必如何如何乃为有勇气，“勇于自信”。自信些什么呢？自信其想像的途径与表现的方式。换言之，即题材要找新的，形式也要创造新的；找的时候固然要有耐心，创造的时候也得下苦功，而在找求在创造的中途，更须“勇于自信”。

这位批评大名家就是乔治·布兰特斯，三十多年前是很有“权威”的。现在看来，他的议论已经不行了：上文所引的几句，其实并不怎样出奇。可是我佩服他一点：他这位批评家不搭架子。读他的书，并不会像读其他批评家的大作那样时时感得“惶恐”，仿佛小时候站在先生面前背书似的。

并且他有许多议论，即在现今似乎也还适用，例如上面所引的几句。“所谓创作经验”，原则上不过这几句而已。

可是我们“文坛”上的作家倒有“断章取义”地采用了布兰特斯那一条劝告的。就是笑纳了“勇于自信”，而璧还了“耐心”和“苦功”。也有颠倒采用了布兰特斯的话的。这就是先有勇气，后有“天才”。更有合此两者为一的，这，大抵是先发表了几篇作品，然后给自己加上个什么派的头衔，“勇于自信”地称为这个流派的“顽固的支持者”。

文艺的“国度”里，本来应该“自由的”。何况据说文豪原来是“商定的”。

一九三三年诺贝尔文艺奖金

本月十日的路透电说，本年的诺贝尔文艺奖金赠给俄国作家布宁了。

布宁（Ivan Alexeyevich Bunin），亦译作蒲宁，生于一八七〇年，家庭是很有历史的乡绅。他在莫斯科大学做学生的时候就发表过诗。他的第一本诗集在一八九一年出版。九十年代，他和高尔基派很接近，他的作品都在高尔基经营的 Znanie 书局出版。一八九二年，他开始写短篇小说。

抒情的长篇小说《乡村》发表于一九一〇年。这使他出名了。其后到一九一六年止，他又出版过四本书，他的短篇“杰作”都在这四本集子里，《旧金山的绅士》一篇，中国有译本，曾登十多年前的《小说月报》俄国文学特刊。

一九一七年，他坚决地反对布尔塞维克。翌年，他就逃出苏俄，住在巴黎，直到现在，他和弥里士考夫斯基（Merezhkovsky）——又一旧俄的小说家，是白俄团体中两个“很坚决”的文学家。可是作品却少了。据《现代俄国文学》的作者密尔斯基亲王（Prince D. S. Mirsky）说：“从一九一七—— 一九二〇年，他的文学生产几乎停止，一九二一年以后，稍有增进，但就他最近的集子（一九二四年出版）所收各短篇的全体而言，则他殊无进步，并且还不及他早年的作品了。”这位亲王“批评家”自然也是一个反布尔塞维克者，（虽然他论述“现代俄国文学”时，总带上了为艺术而艺术派的面具，）然而他对于布宁好像“爱莫能助，”只好直说他越来越不行了。

这就是我们所知的布宁的“生平。”路透电说“渠不采用俄国文学中新趋势，能保持旧有作风，”仅二语不但说明了布宁的立场，也暗示了他所以得了诺贝尔文艺奖金的原因。

原来诺贝尔文艺奖金是规定了只能赠给“理想主义”的作家的。文艺上的所谓“理想主义，”涵义本来复杂，诺贝尔奖金委员会亦未尝下过解释；然而我们检阅文艺奖的赠与表，不见有一位自然主义或写实主义的作家，（这是严格的说法，如果不严，则吉百令，和倍那文德也有时被混叫做写实者，）就可知所谓“理想主义”只是粉饰主义或装金主义罢了。现在诺贝尔文艺奖给与布宁，自然是布宁适合了这标准。

可是布宁在一九一六年所作的诗或小说，却颇不“理想。”他的《乡村》就因为并没把旧俄的农奴生活加以美的“理想化”而博得喝采。他的诗大都描写旧俄乡绅阶级的崩溃。即如他那篇最得英美人传诵的《旧金山来的绅士》也写了“文明”的空虚和“无常”之威胁与不可免，在思想上很近于安得列夫的。

也许一九二五年以后，布宁做过些“理想主义”的作品，可惜我们不知道，无从介绍，真是不胜遗憾。不然，看看怎样还能在这破烂的旧世界脸上装金，倒也是消食的一法。

关于《达生篇》

《达生篇》是描写工人生活的小说。主人公青年工人是傻头傻脑的，他觉得自己的屁股生来应该被人家脚踢，可是他又觉得自己拳头生来应该打老婆；然而他居然又有“幻想”，他认定自己的儿子将来不会像他那样只拿屁股给别人踢而要踢人家的屁股的，于是常要饿肚子的他就希望儿子上学读书，——长大后不再像他一样倒楣。于是这位穷苦工人的儿子就像“小少爷”似的被供养着了。做老子的很巴结工作，忍受任何压迫，为的有了那“幻想。”他不敢参加要求改良待遇的运动，他甚至于憎恶那些运动，为的恐怕打破了饭碗，连累到他的儿子不能教养成一个“上等人”——可以踢人家屁股的“上等人”。

然而营养不足的儿子病了，终于死了；“幻想”破灭，于是我们的主人公也恍然悟觉到事情不能那样办，于是他“转变”了去和他从前所憎恶的捣乱分子做好朋友，并且自己也捣乱起来。

这是《达生篇》的大意。作者想告诉我们的，就是这么一个笨得可怜的“幻想”如何得到了事实的教训。

本来社会上有两种使得人们安分的怪东西：一是命运论。命运注定了要你的屁股给人家踢，你就得让人家踢；《达生篇》的主人公也是这种命运论的信仰者。又一是“向上爬论。”你的命运生来不好，但你的儿子的或者不尽然，儿子或者有“出头”之日。而这“出头，”自然是爬上了“上等人”的梯子，——从上学读书开头，以至踢人家的屁股。《达生篇》的主人公又是这种“向上爬论”的迷信者。这一点“幻想”就支配了他，使他在动荡的旋涡中老是安分守己。不过事实的鞭子最厉害，所以这位十足落后可怜的人儿也终于好像有点认明白了。

剩下来却有一个疑问。假使这位主人公“转变”后的生活果然改善一点点，而且第二个儿子又生了出来，那时他的死去的“幻想”还会不会复活呢？我们想来是会复活的。因为他直到儿子死后，看见的只是“个人”。他始终不曾认明白他的一群和“上等人”的一群中间有一条鸿沟。而这也就是《达生篇》的一个缺点。

“木刻连环图画故事”

良友图书印刷公司最近选印了比国木刻名家麦绥莱勒所作的“木刻连环图画故事”《一个人的受难》等四种。麦绥莱勒用图画代替文字来“写”故事，他的作品都没有附加文字说明，此次良友公司翻印的四种，为使中国读者容易了解计，特地都请人作序，略述每书的内容；但也有例外，如《光明的追求》序文只讲了些西洋木刻的源流。

赵家璧先生在《没有字的故事》的序文中也说到近年来“深入民间”的中国“连环图画小说”“急应改良和提倡”一问题。他说：“我们把比国木刻名家麦绥莱勒的作品搬到中国来，也许可以给中国连环图画的将来，一条有生命的路。因为连环图画既被众人认作走向艺术大众化的捷径，而当内容和形式的改良正找不到出路的今日，这一种尝试，至少可以给我们一点新认识。”（《没有字的故事》赵序页二）

赵先生的用意，我们很赞成。因为麦绥莱勒作品的“搬来”对于中国现在从事木刻而且打算创造新式的进步的连环图画小说的人们，确是一种有价值的参考。然而所谓“参考”也者，应当注重在形式——即技巧这一方面。麦绥莱勒是用图画代替了文字的，是用连续的图画来表现故事的发展的，他的一幅一幅的图画不但能够抓住了连续发展的动作的中心，并且能够抓住了故事中人物心理的顶点，所以我们看了后起大感动。例如《一个人的受难》开头三幅画就表现了这“一个人”的出身，又简洁，又有力。我们以为值得我们去参考并学习的，便是麦绥莱勒此种成熟的技巧。至于“内容,”则除了《一个人的受难》而外，其他三种并不值得我们去摹效。

这是我们要郑重提出来的一点。其次，关于中国现时“深入民间”的连环图画小说以及艺术大众化问题，我们觉得赵先生的议论有应得补充的地方。

原来现行的“连环图画小说”之改良是一事，而艺术大众化又为一事，两者虽有连带关系，却不是一个问题。连环图画小说只是达到艺术大众化的一条路，却不是艺术大众化这问题的全体。所以假如真像赵先生所说“连环图画既被众人认作走向艺术大众化的捷径,”那么，这认识是错误的。因为在“大众化”的目标下，我们要求文艺一切部门都以描写大众的生活，表现大众的情绪和要求，并且大众看得懂为条件。并不想以"连环图画"为"捷径!"

然而在"大众文艺"建设的过程中，新的"连环图画小说"将起巨大的作用，却也不容忽视。旧的"连环图画小说"已经"深入民间，"而其所以能"深入，"不外乎它既有图，又有文字，适合于粗解字义者的需要。无论什么运动，不根据于实际的需要，往往会失败。旧"连环图画小说"的特殊的"形式"因此也就值得新运动者的研究和参考。

这里所谓"特殊的形式，"就是（一）和图画对照的文字说明，（二）图画本身上亦附有文字，例如人物旁注以姓名及重要的对话。这是旧有的"连环图画小说"的通行的"形式，"和麦绥莱勒的作品之全无文字，显然不同。赵家璧先生对这问题的意见似乎倾向于纯用图画，不加文字，自然，在图画中人物的身旁注了姓名，甚至从人物的嘴巴里拖出两条线来注了重要的对话——这种"形式，"太没有"艺术相"了；可是这样的"形式"却正为文化水准低下的中国大众所了解，所需要。要想从大众中驱走那些有毒的旧"连环图画小说，"目前尚只能"利用"这旧形式再慢慢加以提高。

旧"连环图画小说"技术上的最大缺点还在（一）文字说明部分往往不能与图画吻合，（二）图画本身不能抓住了连续发展的动作的中心，往往前一幅与后一幅的差异只在一个人物的正面立或侧面立，因而费图虽多而感动力则甚弱。这两点，必须先行改良。关于后者，我们相信麦绥莱勒作品的“搬到中国来”“也许可以给中国连环图画的将来，一条有生命的路!”

教科书大倾销

年年只见“传布文化”的书籍涨价。先是原来照定价八折的，改售实价了；随后实价又涨上一成二成了；原因都是成本昂贵，开支浩大。

不料本年夏初，忽然看见几家大书坊煌煌然登出大幅的广告来，教科书大廉价；中学教科书原售实价者减卖八折，小学教科书原售八折者减售六折了！教科书是学生的必需品，二成的折扣虽然为数不多，可是穷学生们实已受惠不浅了。在这一点上，谁也应该欢迎教科书的大减价。

中小教科书的编印，在四五年前只有商务中华世界等三大书局；他们三家“三分”了中国的“教育世界。”他们各有“势力范围，”虽然“分治，”却也“合作”。编印中小教科书必须大资本，而且推销教科书据说也必须有“线索；”真所谓兹事体大，普通的书店决不敢冒昧从事的。而况“天下”既已定于“三，”别家想打出一条路来更不容易。但是最近三四年来，各书店因为营业上很少“出路，”便也冒险来干教科书，迄今已编成中学教科书的，就有开明，神州，北新，大东等数家。但是教科书的“基本地盘”据说不在“中”而在“小。”于是小学教科书的编印也就新增了两家：开明和大东。现在就有五种小学教科书摆在小学教师的面前听凭他们选择采用。而教科书大减价也就因此发生了。

照普通习惯讲，如果一条街上新开一家布店大减价，则同街的老牌布店势必也要大减价。书店虽说是“为文化服务，”却也难逃这营业竞争的铁则。在这竞争中，资本薄弱手腕不灵的铺子，难免要吃亏。这又是商业上的铁则。然而教科书倒底有关文化，不能和普通商品相提并论；平常人买一尺布也要比较好歹，现在既是有关于儿童教育的特种“商品，”自然更应该比较比较。

这选择之权，自然操于小学教师。可是研究小学教育的先生们也应该乘这大倾销的当儿对各家的书籍来一个公正的批评，给小学教师们做取舍的参考。必如此，然后减售六折的教科书大倾销不至于成为单纯的商业竞争，然后可以说一句真正对于儿童有利益了。

总之，凡事有了竞争然后有进步，但粗制滥造的出品也往往因竞争而愈多；因此，不存私心的严正的批评愈加成为必要！

论儿童读物

听说新书业中颇有企图多编儿童读物者。他们的目光大都注重于低年级的儿童读物。这也许因为低年级读物在编印上较易观成，而且客观上的需要也很迫切；或者因为民穷财尽的中国，一毛钱左右的小册子容易销售，营业有把握；或者因为新书业困于财力，不得不从小做起。

能够有计划地编印儿童读物，总是对于儿童有益的；但是我的偏见总以为目前需要最迫切者，倒是高年级的儿童读物。而此项读物中尤以关于科学的及历史的读物最为缺乏。

我常常这么想：

儿童的求知欲跟著年龄而发展，所以十一二岁的儿童假使不是低能的，就对于纯文艺性的读物感得单调了；而在文艺读物中，他们又喜欢历史的题材。同时他们的好奇心也发展到了合理的程度，对于宇宙万象和新奇事物都要求合理的科学的解释。他们不再相信神话中的事物起源的故事，他们扭住了母亲，要她“说真话”了！

可是要满足儿童的历史兴趣和“说真话”的要求，并不容易。太历史性了，他们嫌枯燥；太科学的了，他们听不懂。必须在历史与科学的实质上加以文艺的外套，才能使儿童满足。苏联的童话《几点钟》（已有中文译本）就是一个例子。虽则此书给十二岁的儿童阅读尚觉程度高一点，可是那体裁值得我们学习。

我以为历史的科学的高级儿童读物在目前需要很急迫。我提出一个编辑计划来供大家参考罢：

字数：三万到四万。再少就不够叙述。

题材：人体构造的概论；各部器官的机构，作用，和卫摄；食物和衣服的种类及其卫生；这算是第一类。宇宙的起源，自然界的奇观；煤，煤油，从那里来？人类怎样征服自然？这算是第二类。地球上各种人民的生活状况，这是第三类。科学上的新发明，例如照相，电影，电报，电话，留声机等等，这是第四类。关于历史的，例如太平天国，义和团，鸦片战争，乃至孔子周游列国等等，这是第五类了。

体裁：自然要用文艺气味浓厚的故事体了，比方讲述食物或衣服的种类及其卫生时，就可以从原始人吃什么穿什么讲起，把人类衣食的历史包括进去；讲到我们现在的衣食时，就可以叙述主要衣食原料的生产手续。

同时各种类的题材也应该有联系，譬如耳官的机构和作用可以和电话的构造原理联系起来，眼睛和照相机联系起来。历史的题材如孔子周游列国，应该描写那时的社会政治经济，并且要把这位“大成至圣先师”还原为当时那位栖栖皇皇急于做官的凡人。

本来是出题目容易，做文章难，尤其是儿童读物，文章要深入浅出。但是我相信既有了需要，就会发生事实。

图书在版编目（CIP）数据

话匣子 / 茅盾著. — 北京：中国国际广播出版社，
2013.1
（良友文学丛书）
ISBN 978-7-5078-3561-8

Ⅰ. ①话…　Ⅱ. ①茅…　Ⅲ. ①散文集－中国－当代
Ⅳ. ①I267

中国版本图书馆CIP数据核字（2012）第265636号

话 匣 子

著　　者	茅　盾
责任编辑	杜春梅　姚　兰
版式设计	国广设计室
责任校对	徐秀英
出版发行	中国国际广播出版社（83139469　83139489[传真]）
社　　址	北京复兴门外大街2号（国家广电总局内） 邮编：100866
网　　址	www.chirp.com.cn
经　　销	新华书店
印　　刷	环球印刷（北京）有限公司
开　　本	620×920　1/16
字　　数	90千字
印　　张	12
版　　次	2013 年 1 月　北京第一版
印　　次	2013 年 1 月　第一次印刷
书　　号	ISBN 978-7-5078-3561-8/I・386
定　　价	38.00元

CRI 中国国际广播出版社
欢迎关注本社新浪官方微博
官方网站 www.chirp.cn

人文阅读与收藏·良友文学丛书

(1)	鲁　迅　编译	竖　琴
(2)	何家槐　著	暧　昧
(3)	巴　金　著	雨
(4)	鲁　迅　编译	一天的工作
(5)	张天翼　著	一　年
(6)	篷　子　著	剪影集
(7)	丁　玲　著	母　亲
(8)	老　舍　著	离　婚
(9)	施蛰存　著	善女人行品
(10)	沈从文　著	记丁玲
	沈从文　著	记丁玲续集
(11)	老　舍　著	赶　集
(12)	陈　铨　著	革命的前一幕
(13)	张天翼　著	移　行
(14)	郑振铎　著	欧行日记
(15)	靳　以　著	虫　蚀
(16)	茅　盾　著	话匣子
(17)	巴　金　著	电
(18)	侍　桁　著	参差集
(19)	丰子恺　著	车箱社会
(20)	凌叔华　著	小哥儿俩
(21)	沈起予　著	残　碑
(22)	巴　金　著	雾
(23)	周作人　著	苦竹杂记　（暂缺）